KB076591

기술경영 연구자를 위한
논문 작성방법론

기술경영 연구자를 위한 논문 작성방법론

지은이 문승연

발 행 2022년 12월 20일
펴낸이 한건희
펴낸곳 주식회사 부크크
출판사등록 2014.07.15.(제2014-16호)
주 소 서울특별시 금천구 가산디지털1로 119 SK트윈타워 A동 305호
전 화 1670-8316
이메일 info@bookk.co.kr

ISBN 979-11-410-0785-0

www.bookk.co.kr

기술경영 연구자를 위한 논문 작성방법론

문승연

BOOKK

차례

머리말

대학원의 경우 전공에 대한 지식을 폭 넓게 배우는 학부과정과 달리 연구 주제를 찾고 연구를 직접 설계하여 실제 논문이라는 결과물 형태로 연구 결과를 발표하는 과정을 통해 배운 지식을 활용하고 응용하는 방법을 배우고 더 나아가 연구라는 과정을 통해 새로운 지식을 창출하는 방법을 배우는 과정이라고 할 수 있습니다.

기술경영을 공부하는 학생들은 상당수 직장과 학업을 병행하는 흔히 샐러던트라 부르는 파트타임 학생으로 학업 시작 후 졸업을 위한 논문 작성에 어려움을 호소하는 경우가 많습니다. 대학원 특성 상 연구방법론에 대한 수업이 개설되어 있으나 한 학기 동안 진행되는 수업과 지도교수 면담만으로는 학생들의 연구방법에 대한 궁금증과 어려움을 시원하게 해소하기 어려워 논문 컨설팅 등의 연구를 하는 방법을 코칭하는 비즈니스가 성행하고 있습니다.

저자는 직장과 학업을 병행하며 공부하던 대학원생 시절을 떠올리며 직무 개발, 이직, 개인의 학업적 성취 등 다양한 목표를 달성하기 위해 대학원에서 공부 중인 대학원생들의 논문 작성 첫 걸음을 위한 안내서로 본 책을 집필하게 되었습니다. 본 책은 크게 5장으로 구성되어 있으며 논문 작성 시작부터 저널 투고 및 최종 게재 확정까지의 절차를 중심으로 작성되어 있습니다.

본 책은 논문 작성을 처음 시작하는 혹은 논문 작성이 아직 익숙하지 않은 학생들이 논문 작성 시 주로 어려움을 호소하는 부분 위주로 문제 해결을 위한 가이드를 제공하는 '문박사의 조언'을 제시하였습니다. 또한 실제 논문 작성 사례를 예시로 들어 직관적으로 내용을 이해할 수 있도록 구성하였으며, 본 책을 통해 논문 작성 과정을 처음부터 끝까지 간접 경험할 수 있도록 설계하였습니다. 본 책이 논문 작성에 어려움을 겪는 많은 대학원생들에게 길라잡이로 역할하기 바라며 독자 여러분 모두 대학원이라는 경험을 통해 자신이 목표하는 바에 한 걸음 더 다가가시길 기원하겠습니다.

2022년 12월 캠퍼스에서,

문 승 연

내가 하고 싶은 연구는 무엇인가?

우선 연구를 시작하기에 앞서 가장 중요한 것은 바로 연구 주제를 찾는 것이라고 할 수 있습니다. 연구 주제를 찾는 것은 내가 관심 있는 분야 혹은 키워드를 찾는 것이라고 생각하면 이해하기 쉬운데 상당수의 학생들이 연구 주제를 정하는 것에서부터 연구의 벽에 부딪혀 좌절하는 경우가 많습니다. 연구 주제라는 것이 상당히 모호하며 그동안 논문이라는 것을 작성해본 경험이 없기 때문에 어떠한 주제를 찾아야 하는지 모르기 때문에 이러한 상황이 발생하는 것입니다. 그리고 지도교수가 연구 주제를 찾아오라고 해서 막상 관심 있는 주제를 하나 가져가도 여러 이유로 다시 연구 주제를 찾아야 하는 경우도 허다합니다.

"연구 주제 탐색은 어떻게 하나요?"

그렇다면 우리는 어떻게 하면 연구하기에 적합한 연구 주제를 찾을 수 있을까요? 단순히 내가 흥미 있는 주제라고 해서 그 주제가 꼭 연구에 적합하다고 볼 수는 없습니다. 연구라는 것이 결국 하나의 주제를 정하고 그에 대한 답을 찾기 위한 과정을 설계하고 이를 실행, 그 결과를 논문이라는 형태로 작성한다는 점을 생각해보았을 때 연구 주제는 내가 흥미 있는 분야이면서도 실제 논문이라는 결과물을 만들어 낼 수 있는 것이어야 한다는 점을 알 수 있습니다.

[그림 1] 연구 주제 탐색

우선 연구 주제 탐색은 그림 1과 같이 내가 관심 있는 분야의 다양한 선행연구 자료로부터 출발합니다. 선행연구 자료 조사는 단순히 연구 주제 탐색을 위한 준비 자료로만 쓰이지 않고 추후 논문 작성 시 참고할 핵심 페이퍼(Key paper) 탐색, 연구 배경과 이론적 배경 부분에서 활용할 수 있기 때문에 향후 조사된 선행연구 자료를 어떻게 활용할 것인지 고려하여 자료 조사를 진행할 필요가 있습니다. 선행연구 조사 시 고려해야 될 사항은 '문박사의 조언 1'에 더 자세히 나와 있습니다.

일반적으로 선행연구 조사를 시작할 때 [표 1]의 자료원을 주로 사용합니다. 대학원생의 연구는 향후 학위논문의 재료로 사용되므로 우선 소속 학과에서 어떠한 주제로 연구를 진행하는지 살펴볼 필요가 있습니다. 각 대학 도서관에서는 학과별 졸업생 학위논문을 제공하는데 최근 학과의 연구 동향이나 지도교수별 졸업생의 학위논문을 검색할 수 있기 때문에 학교의 온라인 도서관에 접속해 이용하는 걸 추천합니다. 학교 도서관을 통해 학과 및 지도교수별 연구 특성을 살펴보았다면 다음으로 국내 학술저널을 통해 내 관심 분야에서는 어떠한 주제로 연구가 이루어지는지 살펴볼 필요가 있습니다. 국내 학술저널은 국어로 작성되기 때문에 해외 저널을 살펴보기 전 부담 없이 최신 연구를 살펴보기에 좋습니다.

해외 연구 동향은 주로 Web of Science (WoS)나 Scopus와 같은 해외 학술정보 데이터베이스를 통해 검색하고 논문 원문을 다운로드 받을 수 있습니다. 해외 학술정보 데이터베이스는 학교별로 구독 여부가 다를 수 있으며 학교에서 구독하고 있는 해외 학술정보 데이터베이스는 학교 도서관을 통해 확인할 수 있습니다.

그 외 관심 분야에 대해 간단하게 책이나 논문 등을 찾아보고자 할 경우 구글 학술검색을 이용할 수 있습니다. 구글 학술검색의 경우 유료 학술 데이터베이스를 이용하지 못할 경우 연구 자료 확보 시 유용하게 쓸 수 있지만 일정 수준 이상의 자료 질이 보장되는 유료 학술 데이터베이스와 달리 검색을 통해 얻게 되는 자료의 질이 보장되지 않는 단점이 있습니다.

[표 1] 연구 주제 탐색을 위한 자료원

No	자료 출처	특징 및 활용팁
1	각 대학 도서관	▪ 학과별 졸업논문 및 학술연구논문을 제공하므로, 졸업생들이 주로 연구한 분야를 손쉽게 파악할 수 있음 ▪ 연도별/지도교수별 졸업생 연구 주제 트렌드 파악이 용이하며, 각 연구실 혹은 학과의 최신 연구 트렌드를 가장 쉽게 파악할 수 있는 지름길
2	구글 학술검색 (Google Scholar)	▪ 관심 연구 주제와 관련된 키워드를 활용하여 책, 저널 논문 등 검색 가능 ▪ 다양한 출처의 자료를 손쉽게 찾아볼 수 있다는 점이 가장 큰 장점이지만, 검색된 자료의 질은 연구자가 개별적으로 판단해야 한다는 단점이 있음
3	RISS (Research Information Sharing Service)	▪ 관심 분야와 관련된 학위논문, 국내외 학술논문, 학술지, 단행본 등 검색 가능 ▪ 대학원생의 경우 대학 도서관 연계를 통한 문헌 복사 등의 서비스 이용 가능하며 국내 대학들의 학위논문을 쉽게 찾아볼 수 있음
4	Web of Science	▪ 해외 저명 저널 논문 데이터베이스로 내 관심 분야와 관련된 SCI(E)/SSCI 논문 검색 · 열람 가능

"연구 주제 선정 시 어떠한 점을 고려해야 할까요?"

선행연구 조사를 통해 어떠한 연구를 하고 싶은지 감을 잡았다면 본격적으로 연구를 시작할 수 있도록 연구 주제를 결정해야 합니다. 연구 주제를 잘 선정하지 못하면 추후 진행하던 연구를 멈추고 다시 새로운 연구 주제를 찾기 위해 시간을 허비하게 될 수 있으므로 연구 주제 선정 시 신중할 필요가 있습니다.

그렇다면 연구 주제를 선정할 때 고려해야 할 요인으로는 무엇이 있을까요? 연구 주제를 정할 때 고려해야 할 점으로는 크게 세 가지가 있습니다. 세 가지 요소는 바로 데이터 가용성, 연구 방법론적 실현 가능성, 그리고 예상 연구 결과의 가치입니다. 이 세 가지 요소에 따라 연구 주제로서의 가치를 판단하면 추후 연구 진행 중 결론까지 도달하지 못하고 연구를 중단해야 하는 위험을 줄일 수 있습니다.

첫째로 데이터 가용성이란 해당 연구 주제로 연구를 진행하기 위해 필요한 정성/정량적 데이터 존재 여부를 의미합니다. 우선 데이터 가용성을 판단하기 위해서는 내가 고른 연구 주제로 연구를 진행하기 위해 필요한 데이터가 무엇인지 파악해야 합니다. 각 연구마다 필요한 데이터는 해당 연구를 통해 알아보고자 하는 것, 즉 연구 문제에 따라 달라질 수 있습니다. 예를 들어, 기업의 혁신활동 여부가 경영 성과에 미치는 영향을 연구하고자 한다면 혁신활동 여부와 경영 성과를 어떠한 데이터를 통해 측정할 것인지 정해야 합니다. 혁신활동 여부를 특허 출원 수로 측정하고 경영성과를 해당 연도 매출로 본다고 가정한다면 특허 출원과 해당 연도 매출 데이터를 어디서 확보할 수 있는지 가늠해봄으로써 데이터 가용성을 판단할 수 있습니다.

둘째로 연구 방법론적 실현 가능성을 판단하여 내가 하고자 하는 연구 주제를 실제 연구로 발전시킬 수 있는지 검토해야 합니다. 연구 방법론적 실현 가능성은 정성적 혹은 정량적 연구방법 중 하나를 이용해 해당 연구 주제로 연구를 진행할 수 있는지 판단하는 것을 말합니다. 앞서 예로 들었던 기업의 혁신활동 여부와 경영 성과 예시를 기준으로 살펴보면 독립변수인 기업의 혁신활동 여부가 종속변수인 경영 성과에 미치는 영향은 정량적 연구방법인 회귀분석을 통해 분석할 수 있습니다.

마지막 요소인 연구 주세로서의 가치는 예상되는 연구 결과의 학술적, 실무적 기여를 통해 판단할 수 있습니다. 연구 주제로서의 가치는 저널에 논문이 게재되기 위한 요건 중 하나로 작용할 만큼 중요합니다. 연구 주제로서의 가치를 고민하는 과정을 통해 기존 연구와 비교하였을 때 독자들에게 어떠한 가치를 줄 수 있을지 다양한 관점에서 검토할 수 있어 추후 연구 진행 시 기존 연구와 어떻게 하면 차별화할 수 있을지 아이디어를 얻을 수 있기도 합니다.

연구 주제 선정 과정에서 잠재 연구 주제를 중심으로 A4 용지 1페이지 분량의 간단한 연구계획서를 작성해보면 위 세 가지 요소를 평가하는데 도움이 됩니다. 연구계획서 작성은 복잡한 양식이 필요 없으며 간단히 노트에 필기하거나 컴퓨터를 이용해 엑셀, 한글, MS 워드로 작성해 볼 수 있습니다. 연구계획서는 아래 표 2와 같이 크게 네 가지 내용이 들어갑니다. 주제(연구 제목), 추진 동기(연구 개요), 추진 방법(데이터 및 분석방법), 예상 결과(예상 결론 및 시사점)과 같이 연구를 구성하는 네 가지 항목을 중심으로 연구계획서를 작성해보면 내가 생각하고 있는 연구 주제가 논문 작성에 적합한 주제인지 가늠해볼 수 있습니다. 특히 연구 아이디어가 떠오를 때마다 연구계획서를 작성해두면 향후 새로운 연구 주제가 필요할 때 활용할 수 있는 장점이 있습니다.

[표 2] 연구계획서 구성 항목

No	구성 항목	작성 내용
1	연구 제목	▪ 잠재 연구 주제를 중심으로 연구 내용을 잘 드러낼 수 있는 연구 제목(안)을 작성
2	연구 개요	▪ 연구의 배경 및 필요성
3	데이터 및 분석방법	▪ 어떠한 데이터를 활용할 것인가? ▪ 어떠한 연구방법을 활용할 것인가? (정성/정량)
4	예상 결론 및 시사점	▪ 예상되는 연구 결과와 학술적/실무적 시사점

✐ 문박사의 조언 1 - 선행연구 조사 시 고려사항

'기업 동적역량에 기반한 비즈니스 전략'에 대한 연구를 예시로 선행연구를 조사할 때 어떠한 점들을 고려해야 하는지 살펴봅시다. 주제 탐색 단계에서 선행연구 조사를 잘 해두면 추후 논문 작성을 위한 선행연구 조사에 드는 시간을 절감할 수 있고, 내가 연구하고자 하는 분야에 대해 더 잘 이해할 수 있어 논문 내용 구성이 용이하다는 장점이 있습니다.

선행연구 조사 단계에서 연구 진행 과정 동안 참고할 '핵심 페이퍼'를 찾는 것이 가장 중요합니다. 핵심 페이퍼는 내용 구성적 측면과 어떤 방식으로 문맥을 작성하는지 참고하기에 매우 좋은 자료가 되기 때문입니다. 연구자에게 가장 도움이 되는 핵심 페이퍼는 내가 하고자 하는 연구 주제와 유사하면서도 연구 방법론적 측면에서도 참고할 만한 점이 있는 논문입니다. 선행연구 조사 중 핵심 페이퍼를 찾게 되면, 핵심 페이퍼의 내용보다는 전체 논문의 구성방식과 참고문헌 중 내 연구에 필요한 자료를 식별하고 확보하는 것이 중요합니다.

① 연구 배경(서론)에 필요한 글감 자료로는 무엇이 있을까?

* (예시) 빠른 시장/기술 변화와 고객의 요구 다양화로 기업 대응전략 중요성 증대

② 이론적 배경 부분은 어떤 내용으로 구성할까?

* (예시) 기업의 동적역량과 경쟁우위의 관계, 동적역량의 중요성

③ 내가 연구하고자 하는 주제와 가장 유사한 주제로 연구한 논문은 어떤게 있을까? → Key paper

* (예시) 제조기업의 동적역량과 혁신에 대한 연구 등

④ 연구방법적인 측면에서 내가 참고할 만한 논문은 무엇이 있을까?

* (예시) 체계적 문헌 연구, 계량서지학적 분석방법, 키워드 네트워크 분석 등

참고 문헌

컬툰스토리. (2015). **도서관 학술자료를 활용한 논문작성법**. 태믹스.

Machi, L. A., & McEvoy, B. T. (2012). *The literature review: six steps to success* (2nd ed.). Corwin.

연구의 시작, 연구 설계하기

연구 설계를 위한 첫 번째 단추는 전체 흐름을 구상하는 것입니다. 전체 흐름을 고민해봄으로써 향후 논문에 필요한 내용을 식별하고 선행연구 조사 방향을 정할 수 있기 때문에 이 단계가 매우 중요합니다. 연구 설계란 어떠한 체계를 통해 연구를 진행할 것인지 계획을 하는 것과 같습니다. 즉, 논문이라는 결과물을 어떠한 내용으로 구성할 것인지 고민하는 과정과 같다고 할 수 있습니다. 연구 설계에서 가장 중요한 부분은 바로 맥락입니다. 아무리 훌륭한 연구 결과가 도출되었다 하더라도 연구 배경부터 결론까지 맥락이 연결되어 있지 않다면 두서없이 내용이 나열되어 있다는 인상을 독자에게 주기 쉽습니다.

다양한 방식으로 논문 내용을 구성할 수 있지만 통상적으로 서론, 배경, 분석, 종합 네 개 파트로 구성됩니다. 'How to write a better thesis'라는 제목의 책에서는 이를 Introduction, Background, Core, Synthesis라고 소개하고 있습니다 (Evans, Gruba, & Zobel, 2011). 위 네 개 파트는 그림 2와 같이 각 파트별로 독립적인 내용으로 구성되기 보다는 상호 뒷받침하는 구조를 보입니다. 이처럼 서론부터 결론까지의 내용이 상호 유기적으로 설계되어야 논문 전체 맥락이 매끄럽게 이어질 수 있습니다.

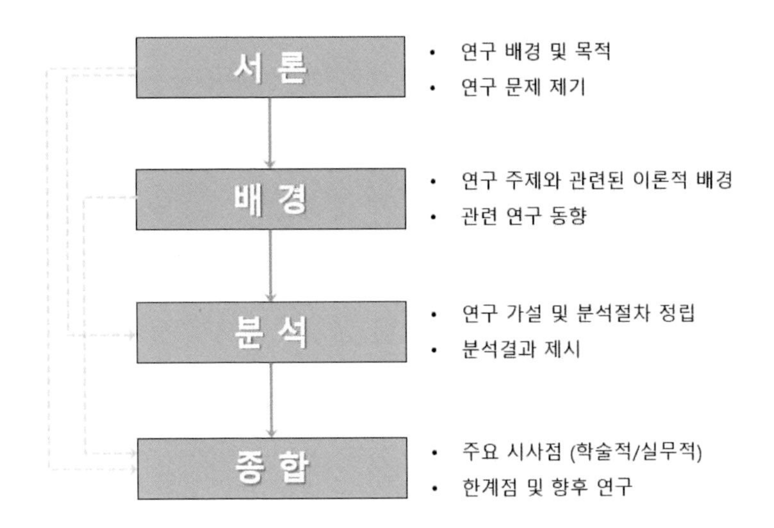

[그림 2] 기본적인 논문의 구성

서론 부분은 독자에게 연구를 소개하는 부분으로 연구의 주된 내용이 무엇인지, 연구 목적과 범위, 연구 문제, 그리고 연구의 전체적인 구성을 제시합니다. 서론은 연구 도입부로 독자들이 연구 주제에 대해 흥미를 갖고 논문을 읽어볼 수 있도록 독자가 이해하기 쉽고 관심을 사로잡을 수 있는 내용으로 구성하도록 합니다. 연구 배경을 설명할 때 관련 사례를 예시로 들어 설명할 경우 독자의 이해를 높일 수 있어 유용합니다. 서론은 말 그대로 연구를 소개하는 부분으로 자칫 내용이 방대해질 수 있으므로 간략히 필요한 내용만 서론 부분에 담길 수 있도록 주의를 기울이며 작성할 필요가 있습니다. 통상 논문에서 서론 부분은 전체 내용의 10퍼센트 정도가 적절합니다.

서론에서 가장 중요한 부분은 바로 연구 목적과 연구 문제에 대한 설명으로 연구 목적과 연구 문제는 독자들이 논문 뒷부분에서 어떠한 내용이 나올지 예측할 수 있게 도와주며, 저자가 논문을 통해 무엇을 말하고자 하는지 이해하는데 도움을 줍니다. 연구 문제의 경우 연구를 통해 어떤 내용을 밝히거나 알아보고자 하는지 제시하는 것으로 연구 문제로 제시된 내용은 추후 연구 결과 부분과 결론에서 논의 되어야 합니다. (그림 2 참조)

배경 부분은 흔히 선행연구라는 제목으로 작성되는 경우가 많으며 간혹 저자에 따라 선행연구라는 제목 대신 이론적 배경 혹은 해당 내용을 잘 보여주는 제목으로 작성하는 경우도 있습니다. 배경에서는 독자들이 연구 내용을 이해하는 데 도움을 줄 수 있는 이론적 배경 지식, 관련 연구 동향 등을 제시합니다.

우선 배경 부분의 가장 큰 역할은 분석 결과를 통해 도출된 결론을 독자가 이해할 수 있도록 도움을 주는 데 있습니다. 따라서 배경 부분을 작성하기 전 논문의 전체 흐름과 연구 문제를 고려하여 어떠한 내용을 넣어야 할지 고민할 필요가 있습니다. 예를 들어, 에코 이노베이션과 기업의 경쟁전략이란 주제를 중심으로 연구를 진행하는 경우 배경 부분에서 에코 이노베이션의 개념적 정의와 이와 관련된 선행연구, 그리고 에코 이노베이션과 관련된 기업의 경쟁전략에 대해 설명함으로써 연구 내용에 대한 독자의 이해를 제고할 수 있습니다.

배경 부분의 특징 중 하나는 바로 기존 연구된 내용을 바탕으로 연구의 필요성을 제시한다는 점입니다. 우리가 흔히 논문을 작성할 때 연구 갭 (Research gap)이라고 부르는 것이 바로 연구 필요성입니다. 연구 필요성이란 내 연구의 존재 이유를 증명하는 것과 같습니다.

즉, 내가 연구 하고자 하는 바를 중심으로 기존 연구된 내용을 검토하고 이를 바탕으로 연구가 부족한 부분이 있는지 찾고, 만약 부족한 부분이 있다면 왜 그 분야에 대해 연구해야 하는지 근거를 제시하는 것이 바로 배경 부분의 역할입니다. 따라서 배경 부분에 들어갈 내용을 구성할 때 어떻게 하면 기존 연구와 비교했을 때 연구 갭을 통해 내가 하고자 하는 연구의 필요성을 드러낼 수 있을지 고민해야 합니다.

분석 부분은 전체 논문의 약 40퍼센트를 차지하는 부분으로 연구 절차, 연구 가설 소개, 주된 연구 결과를 제시합니다. 분석 부분은 연구 절차, 연구 가설, 이론적 프레임워크, 분석 결과를 담고 있기 때문에 연구자에 따라 하나의 장으로 구성하지 않고 여러 장으로 구성하는 경우도 있으므로 다양한 논문을 찾아보며 분석 부분을 어떻게 구성할지 참고해볼 수 있습니다. 분석 부분은 어떠한 연구방법을 사용하느냐에 따라 다양하게 구성할 수 있는데 크게 정성적 연구와 정량적 연구를 기준으로 구성방법을 구분할 수 있습니다.

우선 정성적 연구의 경우 통상적으로 기존의 이론적 틀을 바탕으로 연구에서 제시하는 가설을 검증하거나 새로운 이론을 제시하는 형태를 취합니다. 이에 따라 이론적 프레임워크, 가설, 분석결과 순으로 내용을 구성하는 방식을 취합니다. 간혹 그림 3과 같이 기존의 이론적 논의를 바탕으로 이론적 프레임워크를 제시하며 이와 연계하여 가설을 함께 제시하는 식으로 구성하는 연구도 있습니다.

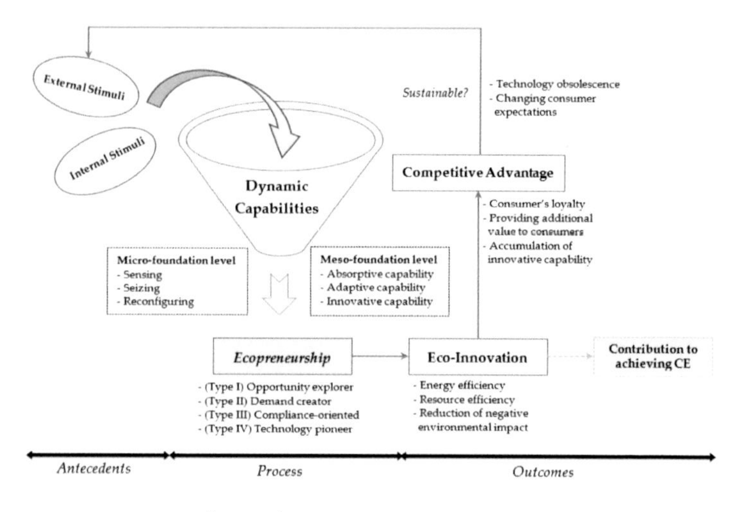

[그림 3] 이론적 프레임워크 예시

논문의 가장 마지막 부분인 종합 부분은 전체 논문의 약 20~30 퍼센트를 차지하는 부분으로 단순히 연구 결과를 바탕으로 시사점, 한계점 및 향후 연구 방향을 서술하는 게 아니라 연구 문제와 연계하여 작성해야 하므로 생각보다 작성에 꽤 시간이 걸립니다. 모든 연구가 그렇지만 연구를 통해 도출된 결과가 학문적 혹은 실무적인 관점에서 어떻게 기여할 수 있을지 어떤 방식으로 서술하느냐에 따라서 연구의 가치가 좌우되므로 종합 부분을 어떻게 작성하느냐에 따라 연구가 될 수도 있습니다. 종합 부분을 작성할 때는 크게 두 가지를 고려해야 합니다. 종합 부분 유의사항 두 가지는 본 장의 마지막 부분에 제시된 '문박사의 조언 2'에서 실제 논문 작성 예시를 통해 확인하실 수 있습니다.

첫째로 종합 부분은 서론 부분에 제시된 연구 문제와 연결 지어 연구 문제에 대한 답을 연구 결과를 통해 제시할 수 있도록 작성해야 합니다. 결국 논문이란 것은 연구라는 과정(=데이터 및 연구방법)을 통해 저자가 알고자 하는 것(=연구 문제)을 탐구하고 그 결과를 종합 부분을 통해 정리해서 제시하고 부족한 부분이 있다면 후속 조치에 대한 계획(=한계점 및 향후 연구)을 제시하는 것이라고 할 수 있습니다. 따라서 종합 부분을 잘 작성하기 위해서는 우선 연구 문제가 무엇인지 앞부분으로 돌아가 다시 살펴보고 내가 연구를 통해 얻어낸 결과와 어떻게 연결 지을 수 있을지 고민해야 합니다. 종합 부분을 잘 작성하면 연구 결과를 바탕으로 각각의 연구 문제에 대한 답을 제시함으로써 연구의 완성도를 더 높일 수 있으며 특히 피어리뷰 시 논문의 결론이 연구 서두에 제시된 연구 문제와 연결 지어 잘 작성되었는지를 바탕으로 연구의 완성도를 확인하므로 주의를 기울여 작성할 필요가 있습니다.

둘째로 종합 부분에서는 다른 연구와 비교했을 때 나의 연구가 갖는 차별점을 중심으로 학술적/실무적 기여가 드러나도록 작성해야 합니다. 연구 결과를 토대로 학술적/실무적 기여를 어떻게 작성하느냐에 따라 내 연구의 중요성을 잘 포장해서 더욱 부각시킬 수도 있고, 내 연구의 가치를 충분히 드러내지 못할 수도 있습니다. 연구의 기여라고 표현하면 흔히 무언가 거창한 결과를 제시해야 기여점이 있다고 생각할 수 있습니다. 하지만 기존 연구와 비교했을 때 아주 작은 부분을 새로 발견했다고 하더라도 무언가 새로운 사실을 찾아냈다는 점에서 학술적/실무적으로 기여했다고 볼 수 있기 때문에 아주 작은 것이라 할지라도 기존 연구 결과 대비 어떠한 점에서 내 연구가 다른지 충분히 고민하면 연구 시사점을 작성하는 데 도움이 됩니다.

✐ 문박사의 조언 2 - 논문 설계와 결론 작성방법 한 방에 정리

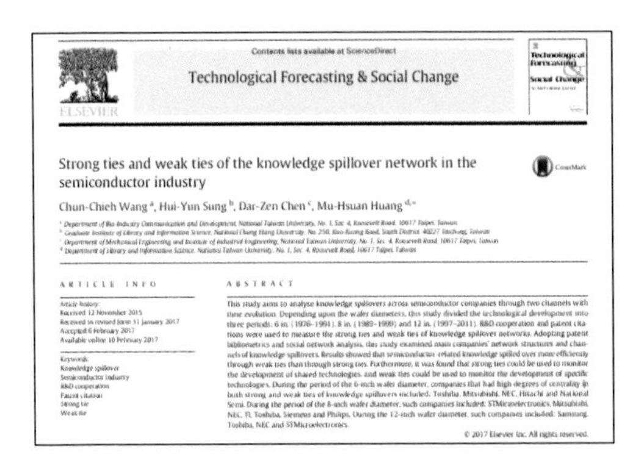

Contents lists available at ScienceDirect

Technological Forecasting & Social Change

ELSEVIER

Strong ties and weak ties of the knowledge spillover network in the semiconductor industry

Chun-Chieh Wang [a], Hui-Yun Sung [b], Dar-Zen Chen [c], Mu-Hsuan Huang [d,*]

[a] Department of Bio-Industry Communication and Development, National Taiwan University, No. 1, Sec. 4, Roosevelt Road, 10617 Taipei, Taiwan
[b] Graduate Institute of Library and Information Science, National Chung Hsing University, No. 250, Kuo-Kuang Road, South District, 40227 Taichung, Taiwan
[c] Department of Mechanical Engineering and Institute of Industrial Engineering, National Taiwan University, No. 1, Sec. 4, Roosevelt Road, 10617 Taipei, Taiwan
[d] Department of Library and Information Science, National Taiwan University, No. 1, Sec. 4, Roosevelt Road, 10617 Taipei, Taiwan

ARTICLE INFO

Article history:
Received 12 November 2015
Received in revised form 31 January 2017
Accepted 6 February 2017
Available online 10 February 2017

Keywords:
Knowledge spillover
Semiconductor industry
R&D cooperation
Patent citation
Strong tie
Weak tie

ABSTRACT

This study aims to analyse knowledge spillovers across semiconductor companies through two channels with time evolution. Depending upon the wafer diameters, this study divided the technological development into three periods: 6 in. (1976–1991), 8 in. (1989–1999) and 12 in. (1997–2011). R&D cooperation and patent citations were used to measure the strong ties and weak ties of knowledge spillover networks. Adopting patent bibliometrics and social network analysis, this study examined main companies' network structures and channels of knowledge spillovers. Results showed that semiconductor-related knowledge spilled over more efficiently through weak ties than through strong ties. Furthermore, it was found that strong ties could be used to monitor the development of shared technologies, and weak ties could be used to monitor the development of specific technologies. During the period of the 6-inch wafer diameter, companies that had high degrees of centrality in both strong and weak ties of knowledge spillovers included: Toshiba, Mitsubishi, NEC, Hitachi and National Semi. During the period of the 8-inch wafer diameter, such companies included: STMicroelectronics, Mitsubishi, NEC, TI, Toshiba, Siemens and Philips. During the 12-inch wafer diameter, such companies included: Samsung, Toshiba, NEC and STMicroelectronics.

논문 작성 시 결론 부분 작성은 몇 가지 포인트만 알면 쉽게 작성할 수 있습니다. 실제 논문 사례를 통해 결론 부분을 어떻게 구성해야 하는지 살펴봅시다. 예시로 활용된 논문은 'Strong ties and weak ties of the knowledge spillover network in the semiconductor industry'란 제목으로 Technology Forecasting & Social Change에 게재된 논문입니다.

이 논문은 반도체산업을 중심으로 시간 흐름에 따라 지식 파급이 어떻게 이뤄졌는지 특허 서지분석과 소셜 네트워크 분석을 활용하여 살펴보았습니다. 이 논문은 서론 마지막 부분에서 연구 목표(연구 문제)를 아래와 같이 두 가지로 제시하였습니다.

1. 반도체산업 내 주된 기업의 기술파급 네트워크 구조 확인(강한 연결/약한 연결)
2. 시간 흐름에 따른 기술파급 채널 변화 확인

우선 이 논문의 구조를 살펴보면 아래와 같이 구성되어 있습니다.

1. 서론
2. 문헌리뷰
 2.1. 기술파급 네트워크
 2.2. 기술파급 네트워크 내 강한/약한 연결
 2.3. 기술파급 채널로서 R&D 협력과 특허 인용
3. 방법론
 3.1. 데이터 수집
 3.2. 특허 서지분석
 3.3. 소셜 네트워크 분석
4. 결과
 4.1. 기술파급 채널의 네트워크 구조 특성
 4.2. 기술파급 네트워크 내 주요 기업
 4.3. 기술파급 채널의 변천
5. 결론
 5.1. 반도체 산업 내 기술파급은 약한 연결이 강한 연결보다 더 효과적
 5.2. 강한 연결을 이용해 공유된 기술 모니터링, 약한 연결을 이용해 특정 기술의 발전 모니터링
 5.3. 향후 연구

이 논문의 구조적 측면을 살펴보면 독자들이 연구 결과를 이해하는데 도움이 되도록 연구 목표와 관련된 개념들을 중심으로 2절을 구성한 것을 확인할 수 있습니다. 또한 3절에서는 데이터 수집과 분석방법에 대해 설명하고, 4절에서는 연구 결과를 1절에서 제시한 연구 목표의 순서에 맞춰 기술될 수 있도록 내용을 배치한 것을 알 수 있습니다. 위 예시처럼 연구 목표(혹은 연구 문제)를 중심으로 서론부터 결론까지 문맥이 이어질 수 있도록 논리적 구조를 견고하게 구성하면 논문의 완성도를 높일 수 있습니다.

통상적으로 결론 부분은 연구 결과에 대한 전반적 요약 제시, 연구 목표(문제)를 중심으로 연구 결과와 시사점 제시, 한계점 및 향후 연구로 순서로 작성하면 됩니다. 많은 초보 연구자들이 결론을 이미 앞부분에서 다뤄진 연구결과에 대한 요약을 디테일하게 작성하는 것이라고 생각하는 경향이 있습니다. 하지만 결론 부분은 연구의 맺음말로 어떤 내용이 이뤄졌는지 간단히 소개하고, 연구 목표(연구 문제)를 중심으로 주된 결과와 시사점, 마지막으로 한계점과 이를 극복하기 위한 방안으로써 향후 연구를 제시하는 것이 바로 결론의 정석이라고 할 수 있습니다. 특히 결론의 완성도는 논문의 가치와도 직결되므로 연구 목표와 연구 문제를 유념하며 연구를 설계하고 결론의 3요소(한 줄 요약, 주된 시사점, 한계점 및 향후 연구)를 갖춰 결론 부분을 작성한다면 어렵지 않게 논문을 마무리 할 수 있습니다.

✐ 문박사의 조언 3 - 사례를 통해 보는 논문 구성방식

논문을 어떻게 구성하느냐에 따라 논문의 전체 질이 달라지므로 논문을 구성하는 방식을 신중하게 결정할 필요가 있습니다. 특히 자신의 연구 주제에 맞춰 적합하게 논문을 구성한다면 논문을 읽는 독자들이 연구 내용을 더 잘 이해할 수 있도록 도울 수 있습니다. 기본적인 틀 안에서 자신의 연구에 맞게 논문을 어떻게 구성할 수 있을지 아래 실제 연구논문 사례를 보며 살펴보도록 합시다.

① **(정성연구) 선행연구를 바탕으로 이론적 가설을 제시・입증하는 연구 → Deductive Approach**

* 기존 이론을 바탕으로 선행연구 조사를 통해 새로운 가설(Hypothesis, proposition)을 제시하고 이를 입증하는 방식으로 연구를 진행하는 경우 아래와 같이 구성할 수 있습니다.

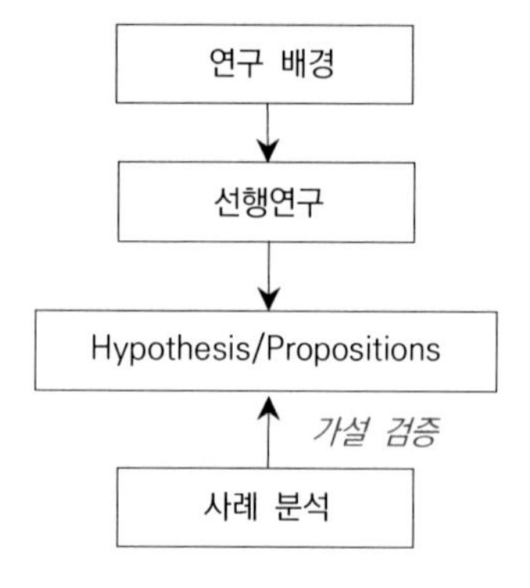

② **(정성/정량연구) 어떠한 현상에 대해 관찰・이해하고 그 결과를 바탕으로 이론적・실무적 함의를 도출하는 연구 → Inductive Approach**

* 사례분석, 콘텐트 분석, 네트워크 분석 등 다양한 정성・정량 연구기법을 통해 어떠한 현상에 대해 관찰하고 이해하며 이를 바탕으로 유의미한 시사점을 도출할 수 있습니다. 통상 이러한 유형에 속하는 연구는 연구 가설을 제시하지 않습니다.

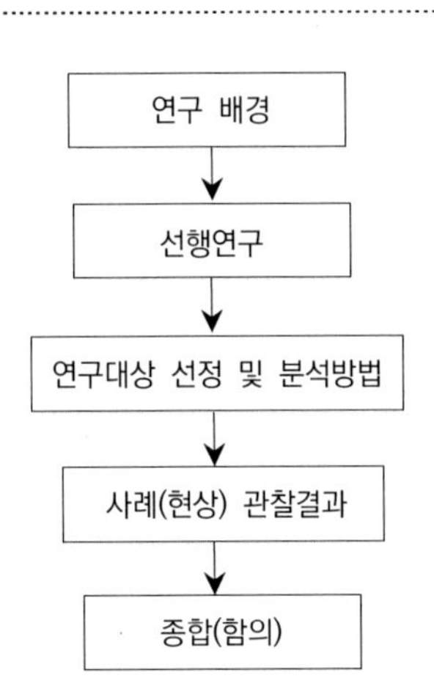

③ (정량연구) 가설을 세우고 데이터 분석을 통해 이를 검증하는 연구

* 연구 가설 수립 후 가설을 검증하기 위해 정량적 데이터 분석을 진행하고 분석결과의 유의수준에 따라 가설을 채택 또는 기각합니다.

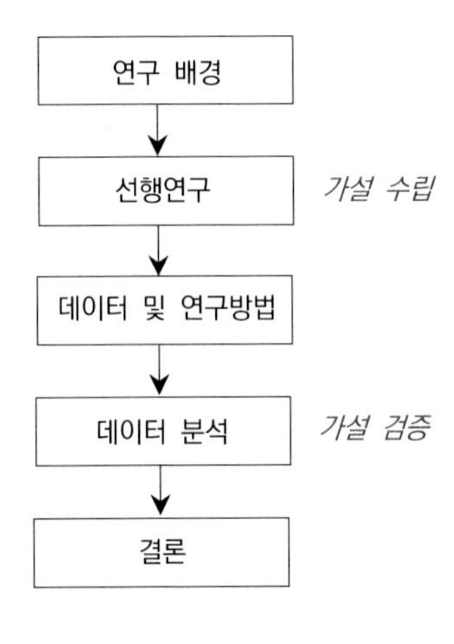

④ (정성연구) 특정한 주제(테마)를 중심으로 그 간의 연구 동향을 살펴보는 연구 → Systematic Review

* 특정 주제에 대한 연구동향을 정리하고 연구결과를 종합하는 연구로 어떠한 분야에 대해 알고자 할 때 참고하기 좋은 연구 유형이며, 주로 체계적문헌연구(Systematic Review 혹은 Systematic Literature Review) 방법이 쓰입니다.

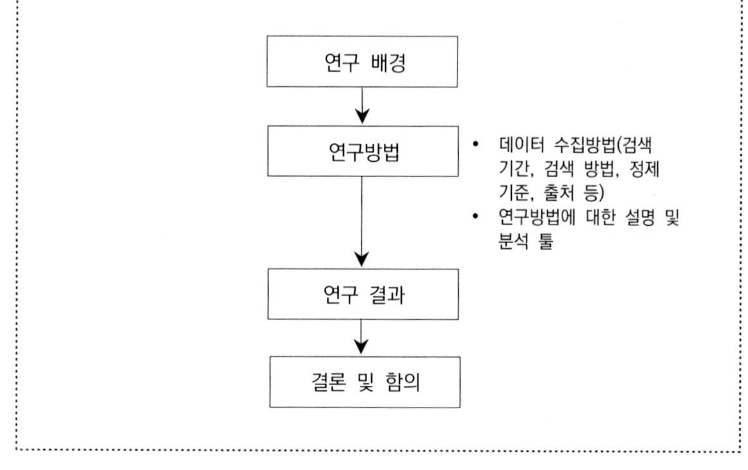

참고 문헌

Evans, D., Gruba, P., & Zobel, J. (2011). *How to write a better thesis* (3rd ed.). Springer.

Moon, S., & Lee, H. (2021). Shaping a circular economy in the digital TV industry: Focusing on ecopreneurship through the Lens of dynamic capability. *Sustainability, 13*(9), 4865.

Xiao, Y., & Watson, M. (2019). Guidance on conducting a systematic literature review. *Journal of planning education and research, 39*(1), 93-112.

선행연구 조사와 정리

박사 학위논문 혹은 저널 논문을 위한 선행연구는 단순히 관련 분야 연구 결과를 보여주는 것에 그치지 않고 그 간의 연구 동향을 소개하고 연구 결과를 종합하고 평가하며 이를 바탕으로 그 간의 연구 문제점을 제시하는 역할을 수행합니다. 따라서 전체 논문의 완성도 측면에서 선행연구는 서론과 연구 결과를 관통하며 전체 내용을 논리적으로 부드럽게 이어주는 가교 역할을 한다고 말할 수 있습니다.

제3장에서는 선행연구 조사와 정리를 어떻게 하면 보다 효율적으로 할 수 있는지 소개합니다. 초보 연구자들은 선행연구 조사를 할 때 얼마만큼 조사를 해야 하는지 정해진 양이 없기 때문에 특히 더 어렵게 느끼는 경우가 많습니다. 너무 많은 자료를 조사하다가 자료에 파묻혀 다음 단계로 나아가지 못하는 경우가 있는가 하면 자료 조사 방향 설정에 오류가 있어 연구 중간에 다시 선행연구 조사를 진행해야 하는 경우도 많습니다. 초보 연구자들이 흔히 겪는 어려움을 중심으로 선행연구 조사부터 내용 정리 및 논문 작성까지 어떻게 하면 효율적으로 할 수 있는지 알아보도록 하겠습니다.

선행연구 조사를 시작하기 전 먼저 2장에 제시된 내용과 같이 연구 설계를 진행합니다. 연구 설계를 통해 논문의 내용을 어떻게 구성할지 정했다면 각 부분마다 어떤 내용이 필요한지 파악하는 과정을 통해 어떠한 내용의 선행연구가 필요한지 확인하고 조사 방향을 설정합니다. 이 단계에서는 각 장마다 어떤 내용을 담고 싶은지 가능한 자세히 정하는 것이 선행연구 조사 방향을 정하는데 도움이 됩니다.

"선행연구의 목적과 목표를 설정"

우선 논문을 작성하기 위해 필요한 선행연구는 사용 목적에 따라 크게 [표 3]과 같이 구분할 수 있습니다. 우선 서론에서 활용되는 선행연구는 주로 독자의 흥미를 끌 수 있는 연구 주제와 관련된 배경적 지식을 담고 있는 경우가 많습니다. 서론 특성상 본격적으로 연구 목표와 연구 문제를 설명하기에 앞서 연구 배경이 되는 내용을 독자에게 설명함으로써 뒷부분에서 전개될 연구 내용에 대한 이해를 도울 수 있는 내용 위주로 선행연구를 조사하면 됩니다. 예를 들어, 전기자동차 시장의 경쟁관계에 대한 연구라면 환경 규제 증가와 친환경 자동차에 대한 소비자들의 관심 증대, 전기자동차 보급률, 최근 전기자동차 분야에서 주목받는 기업에 대한 내용을 서론에 담는다면 독자들의 관심을 끌 수 있을 것입니다.

다음으로 이론적 배경 부분에서 활용되는 선행연구는 주로 연구 주제와 관련된 이론적 개념을 제시하거나, 연구 주제와 밀접한 그간의 연구 동향을 보여주는 데 활용됩니다. 이론적 배경에 대한 내용은 통상적으로 논문의 2절에 해당되는데 연구 주제와 관련된 이론에 대한 용어의 정의부터 유형, 특징에 대해 소개함으로써 연구 내용에 대한 독자들의 이해를 돕는 역할을 합니다. 또한 선행연구를 통해 연구 주제와 관련된 연구 동향을 제시하고 이를 바탕으로 연구의 필요성(=Research gap)을 드러낼 수 있도록 논문의 2절을 구성해야 합니다.

마지막으로 연구 방법에서 활용되는 선행연구는 연구에서 활용되는 분석방법에 대한 정보를 제공합니다. 예를 들어, 특허 네트워크 분석을 연구 방법으로 활용하는 논문일 경우 특허 네트워크 분석의 정의, 주된 활용분야, 활용 시 장점, 분석 절차에 대한 내용을 제공할 수 있어야 합니다. 특히 연구 방법 부분은 연구 결과 해석 시 독자가 알아야 하는 용어나 지표에 대한 설명을 담고 있어야 합니다. 예를 들어 특허 네트워크 분석을 활용하는 연구일 경우 이 부분에서 네트워크 밀도와 중심성과 같이 추후 연구 결과 해석에서 사용되는 개념에 대한 설명이 제시되어야 합니다.

[표 3] 활용 목적에 따른 선행연구의 분류

No	구 분	선행연구 조사방향
1	서론 (연구 도입부)	▪ 연구 주제와 관련된 독자들이 흥미를 느낄만한 내용 ▪ 연구 도입부에서 연구 배경을 설명하기에 적합한 내용
2	이론적 배경	▪ 관련 이론에 대한 기본적 지식(정의, 유형, 특징 등) ▪ 연구 주제와 관련된 주된 연구 동향 ▪ 연구 필요성을 드러낼 수 있는 내용
3	연구 방법	▪ 활용하고자 하는 연구 방법에 대한 이론적 내용(정의, 절차, 활용도구 등)

선행연구 조사와 수집이 끝났다면 논문 초안 작성을 위해 선행연구를 정리해야 합니다. 엑셀로 표를 만드는 등 각 연구자별 선행연구를 정리하는데 다양한 방법을 활용하고 있지만 본 책에서는 서지 프로그램과 정성적 데이터분석 소프트웨어(Computer-Assisted Qualitative Data Analysis Software, 이하 CAQDAS)를 활용하여 선행연구를 정리하는 방법을 소개하고자 합니다.

수집된 선행연구를 정리하는 목적은 향후 논문 초안 작성 시 활용하기 위함이라고 할 수 있습니다. 연구자별로 자신에게 가장 편리한 방식에 따라 선행연구를 정리하는데 폴더를 만들어 선행연구 내용에 따라 분류하고 읽거나, 엑셀로 표를 작성해 선행연구 내용을 요약하는 등 다양한 방식이 있을 수 있지만 나중에 논문 초안을 작성할 때 인용 하고자 하는 내용이 조사한 선행연구 중 어디에 있는지 쉽게 찾아보기 위해서 본 책에서는 CAQDAS 중 하나인 ATLAS.ti를 활용하는 방법을 소개합니다.

ATLAS.ti는 정성 연구를 위한 질적 코딩을 하는데 활용되는 소프트웨어로 사용하기 편리한 UI와 쉬운 사용법으로 금방 소프트웨어 조작 방법을 읽히고 연구에 활용할 수 있습니다. 다만 많은 양의 문헌을 프로젝트 파일로 저장하고 질적 코딩을 하기 위해서는 유료 버전을 구매해야 하므로 Weft QDA와 같이 무료로 제공되는 툴을 활용하여도 좋습니다.

"CAQDAS를 이용한 효율적인 선행연구 정리"

선행연구 수집이 끝났다면 우선 ATLAS.ti 로그인 후 프로젝트 파일을 생성합니다 (아래 그림 참조). ATLAS.ti는 '프로젝트'라는 명칭으로 질적 코딩 작업을 위한 파일들을 관리할 수 있는데 프로젝트란 쉽게 표현하면 컴퓨터 문서 탐색기에 폴더를 만드는 것에 비유할 수 있습니다. ATLAS.ti에서 프로젝트는 ATLAS.ti를 이용해 질적 코딩과 같은 작업을 수행하기 위해 반드시 생성되어야 합니다.

프로젝트를 생성하고 프로젝트 이름을 지었다면 좌측 상단의 'Add documents' 메뉴를 이용해 수집한 선행연구 자료를 파일별/폴더별로 업로드합니다. 문서의 일련번호는 업로드 순서에 따라 자동으로 지정되며 파일명 그대로 업로드 되기 때문에 향후 좌측 사이드바에 위치한 'Explore'의 검색창을 이용해 파일명으로 업로드한 문서를 검색할 수도 있습니다. 따라서 선행연구 수집 시 파일 관리의 편리성을 위해 APA 인용 스타일로 저자-연도-제목순으로 파일명을 지정하는 것을 추천합니다.

수집한 선행연구 PDF 파일 업로드 후에는 선행연구 정리의 가장 중요한 단계인 질적 코딩(Qualitative Coding)을 진행합니다. 코딩이라고 하면 흔히 C언어, 파이썬과 같은 컴퓨터 소프트웨어를 활용한 코딩을 떠올릴 수 있지만 질적 연구에서 코딩이란 정성적 자료 내 담겨있는 의미를 연구자가 해석하여 코드로 변환하는 과정이라고 설명할 수 있습니다. 질적 코딩은 코딩의 목적에 따라 오픈 코딩(Open Coding), 축 코딩(Axial Coding) 등 다양한 유형이 있으나 선행연구 정리 시에는 가장 보편적으로 활용되는 오픈 코딩을 활용하여 진행토록 합니다.

오픈코딩이란 통상적으로 질적 자료를 분석하는 첫 단계에서 행해지는 코딩방법으로 코딩을 시작한다는 의미에서 'Open'이란 형용사가 붙어 있으며 간혹 이니셜 코딩(Initial Coding)이라고 불리기도 합니다. 오픈코딩은 원 자료(Raw data)로부터 의미 있는 정보를 추출하는 방법으로 원 자료에 담긴 개념들을 식별하고 하나하나 이름을 붙이는 작업이라고 할 수 있습니다.

질적 코딩 작업은 자료에 담긴 내용을 이해하고 파악하는 과정으로 자료에 들어있는 아이디어를 가능한 많이 식별하는 것을 목표로 하며 각각의 아이디어간의 연관관계는 코딩 과정에서 고려하지 않습니다. 코딩과정을 통해 어떠한 개념이나 아이디어에 붙인 이름을 질적 코딩에서는 코드(Code)라고 부릅니다. 질적 코딩을 통해 도출된 코드는 추후 연구자가 데이터를 분류하고 해석하는데 기초적인 자료로 활용됩니다.

통상적인 오픈코딩은 자료를 읽어 보며 누가, 무엇을, 어떻게, 왜와 같은 질문을 던지며 가능한 많은 정보를 찾아내는 것을 목표로 한다면,

선행연구 정리 시 활용하는 오픈코딩은 자신의 연구 주제나 연구 문제를 고려하며 논문에서 활용할 정보를 찾는 것을 목표로 합니다. 수집된 선행연구 내용을 이해하고 코딩 하는 과정을 통해 각 개념의 관찰 빈도와 연관성을 파악할 수 있으며 오픈코딩 종료 후 코드를 주된 내용에 따라 분류하고 범주화하는 과정을 통해 선행연구 내용을 더 깊이 이해할 수 있습니다.

1. 아틀라스 프로젝트 파일 생성하기

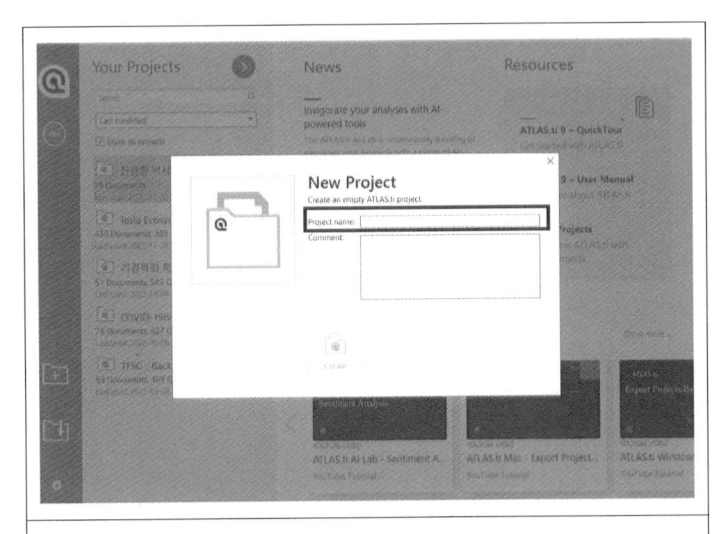

2. 프로젝트명 짓기

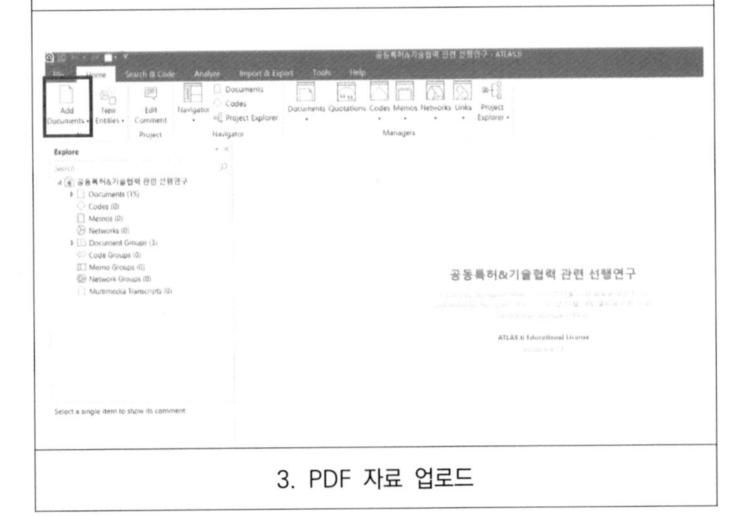

3. PDF 자료 업로드

ARTICLE INFO

Keywords:
New technology ideas
Patent analysis
F-term
Text-mining
Technology opportunity

ABSTRACT

Discovering new technology opportunities has long been a significant issue in both practice and academia. Among various approaches to search for opportunities, one of the most frequently used is to identify emerging or vacant technologies from patent documents. In line with it, this study aims to suggest a novel approach for the development of new technology ideas based on the F-term, which classifies patent documents according to the technical attributes of the inventions described within them. Since the technical attributes are analyzed according to various perspectives through the application of the F-term, which generates detailed and systematic information about technologies, the F-term can provide effective guidelines for generating new technology ideas, if utilized well.

In the approach, we first choose a target technology for seeking new opportunities. Then, from the text-mining results of the F-term data, we identify other technologies with technical attributes similar to the target technology, called reference technologies. The next step is to extract technical attributes that are commonly used in the reference technologies but have not been used in the target technology. Finally, we can obtain new technology ideas by applying these technical attributes to the target technologies. This is one of the earliest attempts to adopt the F-term for patent analysis; the proposed methodology can show how to best take advantage of the F-term and the wealth of available technical information in patents, and also can be useful in the idea-creation process for major and minor innovation.

1. Introduction

The importance of technology opportunity analysis for the development of new technologies has become more apparent due to the inherent risks in launching and growing new businesses (Lee et al., 2015). Technology opportunity analysis, through which the derivation of new technology ideas can contribute significantly to the growth and success of a business, can largely be classified into two types (Cho et al., 2016): one relates to anticipating new technologies and products that have not yet been developed or are still emerging (e.g. Daim et al., 2006; Lee et al., 2015; Noh et al., 2016); the other relates to new markets that can be created or exploited by utilizing the technology that a firm currently possesses (e.g. Park et al., 2012; Park et al., 2013b; Yoon et al., 2014; Yoon et al., 2015). In this study, we focus on the former, where technological opportunities are recognized by deriving new technology ideas that offer the potential for technological progress, in both an industry overall and individual enterprises, and define technology opportunity as "the potential for technological progress through creating value from new ideas".

Patent analysis has long been employed as a useful analytical tool for technological opportunity analyses, particularly supporting to create new ideas. The results of such patent analyses can be represented as technology trends or paths of technology development, in the form of charts, graphs, and networks, which allow complex information to be understood easily and effectively (Yoon, 2010). However, recently, there has been increasing attempts in integrating data-mining techniques into patent analysis to enable systematic technology opportunity analyses (Lee et al., 2015). Specifically, in these attempts, the International Patent Classification (IPC) system or a set of keywords identified by using a text-mining application with patent documents was generally used for opportunity analysis. That is, after a collection of IPC codes or a set of keywords in patents was used to define a

4. 질적 코딩

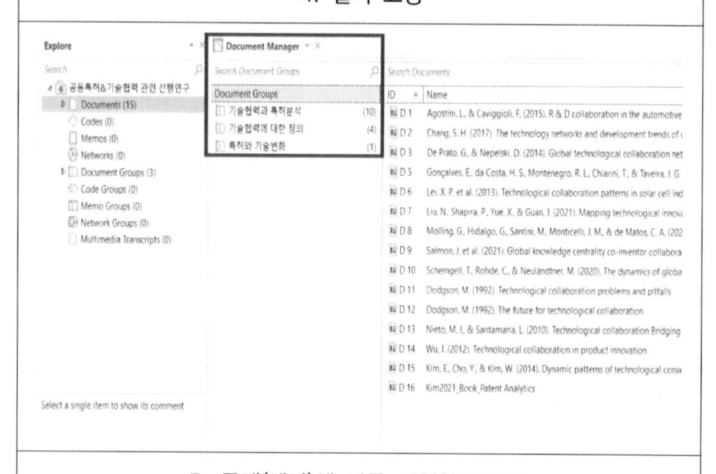

5. 주제(테마)에 따른 선행연구 분류

✐ 문박사의 조언 4 - 오픈코딩은 어떻게 하나요?

오픈코딩을 처음 해보는 연구자들은 책 혹은 논문으로만 접한 코딩을 어떻게 해야 하는지, 혹은 내가 지금 하고 있는 방법이 올바른 코딩 방법인지 고민하게 됩니다. 질적 코딩은 직접 해보며 시행착오를 겪는 과정을 통해 나에게 잘 맞는 코딩방법을 찾아내고 습득할 수 있으므로 아래 예시를 보며 질적 코딩을 연습해봅시다.

(예시) Technology Opportunity Analysis에 대한 선행연구

Discovering new technology opportunities based on patents: Text-mining and F-term analysis

1. Introduction

The importance of technology opportunity analysis for the development of new technologies has become more apparent due to the inherent risks in launching and growing new businesses (Lee et al., 2015).

☞ 새로운 비즈니스에는 많은 위험요소가 있어 기술기회분석이 중요해짐

Technology opportunity analysis, through which the derivation of new technology ideas can contribute significantly to the growth and success of a business, can largely be classified into two types (Cho et al., 2016): one relates to anticipating new technologies and products that have not yet been developed or are still emerging (e.g. Daim et al., 2006; Lee et al., 2015; Noh et al., 2016); the other relates to new markets that can be created or exploited by utilizing the technology that a firm currently possesses (e.g. Park et al., 2012; Park et al., 2013b; Yoon et al., 2014; Yoon et al., 2015).

☞ 기술기회분석은 2가지 유형으로 구분 가능(잠재 유망기술, 신시장 관련 기술)

In this study, we focus on the former, where technological opportunities are recognized by deriving new technology ideas that offer the potential for technological progress, in both an industry overall and individual enterprises, and define technology opportunity as "the potential for technological progress through creating value from new ideas".

Patent analysis has long been employed as a useful analytical tool for technological opportunity analyses, particularly supporting to create new ideas. The results of such patent analyses can be represented as technology trends or paths of technology development, in the form of charts, graphs, and networks, which allow complex information to be understood easily and effectively (Yoon, 2010). However, recently, there has been increasing attempts in integrating data-mining techniques into patent analysis to enable systematic technology opportunity analyses (Lee et al., 2015).

☞ 특허 데이터에 텍스트 마이닝을 접목해 기술기회를 분석하기도 함

Specifically, in these attempts, the International Patent Classification (IPC) system or a set of keywords identified by using a text-mining application with patent documents was generally used for opportunity analysis.

앞에서 살펴본 예시와 같이 선행연구 정리를 위한 질적 코딩은 자료를 읽으며 연구자가 판단하기에 논문의 개요, 이론적 배경, 그리고 연구 방법 부분에서 활용할 수 있는 내용을 식별하고 코드를 붙이는 방식으로 진행됩니다. 코드는 단어, 문장, 문단, 페이지에 부여될 수 있으며 코드의 형태는 개조식으로 코드가 담고 있는 내용을 요약하여 작성하거나, 짧은 단어 혹은 문장과 같은 형태로 작성할 수도 있습니다.

예를 들어, 유사한 내용을 담고 있는 문장에 대해 'A'라는 동일한 코드를 붙여도 무방하지만 향후 논문 작성 시 인용할 문헌을 탐색하기 위해 CAQDAS 내 검색 기능을 활용해 코드를 검색하게 되므로 이를 고려해 유사한 내용이더라도 서로 차별화되는 내용을 중심으로 'A', 'A-1'과 같이 서로 구분해 주는 것이 편리합니다. 또한 코드를 너무 단순화해서 작성할 경우 추후 어떤 의미를 담아 코드를 만들었는지 기억해내기 어려우므로 나중에 찾아보더라도 기억할 수 있는 선에서 코드를 만들 필요가 있습니다.

✐ 잘못된 코딩의 예시

The importance of technology opportunity analysis for the development of new technologies has become more apparent due to the inherent risks in launching and growing new businesses (Lee et al., 2015).

☞ 새로운 비즈니스를 창출하고 성장시키는데 위험이 크므로 기술기회를 분석할 필요성이 증대됨 (O)

☞ 연구배경 (X)

: *어떤 내용을 대상으로 코딩을 한 것인지 알 수 없음*

☞ 기술기회분석의 중요성 (X)

: *동일한 코드를 여러 유사 내용에 지정할 경우 추후 논문 작성 시 인용하고자 하는 내용을 찾기 위해 동일한 코드가 지정된 문헌을 다 찾아봐야 하는 어려움이 있음*

참고 문헌

Given, L. M. (Ed.). (2008). *The Sage encyclopedia of qualitative research methods*. Sage publications.

Ridley, D. (2012). *The literature review: A step-by-step guide for students* (2nd ed.). Sage Publications.

Saldaña, J. (2015). *The Coding Manual for Qualitative Researchers* (3rd ed.). Sage Publications.

본격적으로 연구를 진행하기 전 우선 내 연구 주제와 연구 문제에 적합한 연구방법을 찾아야 합니다. 어떠한 연구방법을 선택하느냐에 따라 연구 주제 탐색 방향과 필요한 데이터가 달라지기 때문에 연구방법의 특성을 이해하고 이를 고려하여 연구방법을 선택할 필요가 있습니다. 연구방법은 크게 사용하는 데이터의 특성에 따라 문서, 사진, 인터뷰 등 정성적 데이터를 활용하는 정성적 연구방법과 계량 가능한 수치 데이터를 활용하는 정량적 연구방법으로 구분될 수 있습니다. 이번 장에서는 연구방법 선정 시 고려사항과 각 연구방법의 장단점과 특징, 연구를 진행하기 위해 필요한 데이터 수집방법에 대해 살펴봅니다. 앞서 언급한 것처럼 연구방법은 크게 정성적 연구방법과 정량적 연구방법으로 구분되며, 이 외에도 위 두 가지 연구방법을 혼합하여 사용하는 혼합연구방법(Mixed Methods)이 있습니다.

첫 째로, 정성적 연구방법이란 사회현상을 연구하는 방법을 통칭하는 포괄적 용어로 계량화할 수 없는 자료를 주된 연구자료로 사용합니다. 대표적으로 정성적 연구방법에서 활용하는 자료로는 인터뷰, 사진, 비디오, 뉴스 및 논문 등 각종 문서, 인터넷 웹사이트 등이 있습니다. 정성적 연구방법은 어떠한 현상 혹은 이슈에 대하여 'what', 'why', 'how'를 중심으로 탐색하며 이해하는 것을 목표로 합니다. 이러한 이유로 정성적 연구결과는 주로 현상 혹은 이슈에 대한 묘사와 관찰 결과의 종합, 이를 바탕으로 한 시사점 도출로 구성되곤 합니다.

정성적 연구를 위한 대표적인 데이터 수집방법으로는 포커스 그룹(Focus Group), 사례연구, 그리고 현장연구(Fieldwork)가 있습니다. 포커스 그룹이란 5~12명으로 구성하여 그룹 인터뷰를 진행하는 것으로 정성적 연구에 많이 활용되는 데이터 수집 방법입니다. 포커스 그룹 인터뷰 자료는 연구의 주된 자료로 활용될 수도 있고 혹은 혼합연구를 진행할 경우 보조적인 연구 자료로도 활용되기도 합니다. 포커스 그룹은 1980년대 중반부터 사회과학분야에서 정성적 연구를 위한 데이터 수집방법으로 널리 활용되기 시작했으며 연구 목적에 따라 여러 방식으로 변형해서 활용할 수 있다는 점에서 유용합니다. 포커스 그룹은 참여자들 간 토론하는 과정을 통해 데이터를 수집하며, 토론의 결과로 의사결정을 내리거나 공통된 결론을 내리지 않아도 되며 연구 주제에 대해 참여자들이 토론한 내용을 데이터로 활용합니다.

사례연구는 주로 연구자가 특정한 주제에 대해 'why'와 'how'에 대한 답을 찾길 원하거나 연구하고자 하는 주제에 대해 연구자가 통제력을 갖고 있지 못하거나, 연구 주제와 관련하여 현상과 맥락의 경계가 모호한 경우 많이 활용됩니다. 쉽게 표현하면 연구자가 관찰하고자 하는 대상을 통제할 수 있는 위치에 있지 않으며, 특정 주제를 연구하기 위해 관찰 대상에 대한 여러 정보를 수집하고 이를 종합하는 과정을 통해 해당 주제를 탐색할 수 있을 때 주로 활용되는 방법입니다. 사례연구는 어떠한 현상 혹은 이슈를 관찰하는 과정을 통해 기존 이론을 입증하거나 새로운 개념 혹은 이론을 발견해낼 수도 있습니다.

마지막으로 현장연구는 앞서 살펴본 두 가지 방법과 자료를 수집하는 방식에 있어서 크게 차이가 있습니다. 현장연구는 말 그대로 연구자가 연구 대상을 관찰하는 과정을 통해 데이터를 수집하는 방법으로 그룹 혹은 문화를 이해하고 묘사하는 데 활용되는 방법입니다. 연구자가 직접 연구 대상을 가까이에서 관찰하고 필드노트를 작성하거나 영상 혹은 사진을 촬영하는 과정을 통해 데이터를 수집하므로 다른 방법보다 상당한 시간이 소요됩니다.

정성적 연구방법은 유형에 따라 에스노그라피(Ethnography), 근거이론(Grounded Theory) 등으로 구분할 수 있으며 본 책에서는 기술경영분야 연구에서 주로 활용되는 유형인 사례연구(Case Study), 콘텐트분석(Content Analysis), 그리고 체계적 문헌연구 문헌연구(Systematic Literature Review)를 중점적으로 살펴보도록 하겠습니다.

"사례연구, 현 상황을 깊이 있게 관찰하는 연구방법"

사례연구는 여타 사회과학분야처럼 기술경영분야에서도 많이 활용되는 연구방법으로 계량화하기 어려운 기업의 역량, 전략, 비즈니스 모델 등을 탐색하기 위한 연구에서 많이 활용됩니다. 사례연구는 현 시대의 상황을 깊이 있게 관찰하는 연구방법으로 연구 주제를 탐색하는 데 적합한 특정한 사례를 선정하고, 해당 사례의 발생원인, 진행경과와 결과를 살펴보고 이를 바탕으로 학술적, 실무적 함의를 도출해낼 수 있습니다.

사례연구는 하나의 사례를 중심으로 단일사례연구를 진행할 수도 있지만 복수의 사례를 중심으로 다중사례연구를 진행하기도 합니다. 다만 연구에서 다루는 사례의 숫자가 너무 많을 경우 여러 사례를 분석하고 그 결과를 제시하는 데 치중하여 사례연구의 강점인 사례에 대한 심도 있는 분석이 이뤄지지 못할 가능성이 높으며 이와 관련하여 피어리뷰 시 연구 설계 측면에서 공격을 받을 가능성이 있습니다. 따라서 자신의 연구 주제에 맞춰 적절한 수의 사례를 선정할 필요가 있습니다. 통상적으로 사례연구를 살펴보면 하나의 사례를 중심으로 진행하거나 사례 간 비교가 가능하도록 약 2~4개 사례를 중심으로 연구를 진행합니다. 단일사례연구의 경우, 사례를 선정한 논리적 근거를 제시하지 못할 경우 사례연구 설계의 타당성에 대해 공격을 받을 우려가 있습니다. Yin(2009)은 자신의 저서를 통해 단일사례연구를 위한 사례 선정의 조건을 5가지(critical case; extreme case; representative case, revelatory case; longitudinal case)로 제시하였는데 많은 연구자들이 이를 참고하여 사례를 선정하고 사례 선정의 근거를 뒷받침하는 자료로서 활용하고 있습니다.

"콘텐트분석, 일관된 패턴이나 주체들의 이해관계 분석"

콘텐트분석이란 텍스트 자료 내 담긴 의미를 추출·해석하고 범주화하는 과정을 통해 일관된 패턴이나 변수 혹은 주체들의 이해관계를 분석하는 방법이라고 할 수 있습니다. 텍스트 자료가 담고 있는 방대한 내용 중 핵심적인 부분을 파악하고 추출·이해하는 과정을 반복적으로 수행하며 자료가 담고 있는 의미를 이해하고 이를 종합해 연구 결과를 도출하는 연구방법입니다. 일반적으로 콘텐트분석에서는 기업 보고서, 뉴스, SNS 자료, 인터뷰 대본 등 다양한 종류의 자료가 활용될 수 있으며 분석과정에서는 질적 코딩이 사용됩니다.

콘텐트분석은 질적 코딩을 하는 과정을 통해 연구자의 주관이 반영되므로 이를 보완할 수 있는 도구로서 Triangulation과 Inter-coder Reliability가 활용됩니다. Triangulation이란 삼각검증 혹은 다각화라고 불리기도하며 토지를 측정할 때 사용되는 삼각측량법에서 유래되어 이러한 이름이 붙여졌습니다. 정성연구에서Triangulation이란 연구에서 단일 방법, 단일 데이터, 혹은 단일 연구자가 갖는 한계점을 극복하기 위한 방안을 말합니다. 일반적으로 콘텐트분석에서 Triangulation은 자료 출처나 종류를 다양화하거나, 복수의 연구자가 질적 코딩을 하는 방식으로 이뤄질 수 있습니다. Inter-coder Reliability도 Triangulation과 마찬가지로 콘텐트분석 결과의 강건성(Robustness)과 신뢰성을 높이는 방법으로 여러 명의 연구자가 코딩을 진행하고 그 결과를 통해 신뢰성 계수를 산출해냅니다. Inter-coder Reliability는 간혹 CAQDAS에서 분석 기능을 제공하는 경우도 있어 소프트웨어를 통해 간단히 확인할 수 있습니다. Inter-coder Reliability 측정 시 신뢰성 계수는 서로 다른 코더(coder) 간 유사하게 코딩하였는지를 보여주며 통상 0.6 이상일 경우 코딩 결과에 신뢰성이 확보되었다고 봅니다.

"체계적 문헌연구, 특정 주제를 중심으로 그 간의 연구결과를 종합"

체계적 문헌연구는 일정한 기준과 절차를 바탕으로 문헌연구를 수행하는 연구방법입니다. 1970년대 의학 분야에서 처음 소개되어 현재는 사회과학, 의학 등 다양한 분야에서 활용되고 있습니다. 특히 체계적 문헌연구는 그 특성상 특정 주제를 중심으로 그 간의 연구 결과를 종합적으로 살펴보는 탐색적 연구에서 많이 활용되는 경향을 보입니다. 체계적 문헌연구는 일반적인 문헌연구와 달리 일정한 절차를 통해 문헌 수집 및 확인, 분석, 종합이 이뤄진다는 점에서 구분됩니다. 일반적으로 체계적 문헌연구는 데이터 수집, 정제, 분석, 종합의 네 단계를 통해 수행되며 연구자에 따라 분석과 종합을 한 단계로 통합해 진행하기도 합니다.

첫째로 체계적 문헌연구에서 데이터 수집은 통상 복수의 신뢰성 있는 데이터베이스를 통해 이뤄집니다. 단일 출처 활용 시 데이터 수집의 편향성을 피하기 어렵기 때문에 복수의 데이터베이스가 활용됩니다. 간혹 하나의 데이터베이스 사용 시 스노우볼 샘플링(Snowball Sampling)을 통해 추가적으로 데이터를 수집해 데이터 편향성 문제를 극복하는 경우도 있습니다. 스노우볼 샘플링이란 작은 샘플로 시작해 연구에 적합한 샘플을 정하는 방법을 말합니다. 스노우볼 샘플링이란 용어는 스노우볼이란 단어와 같이 작은 눈뭉치에 눈을 더해 점점 커다란 눈뭉치가 되는 모양에서 유래한 용어입니다. 일반적으로 선행 연구 조사 시 스노우볼 샘플링이란 용어를 사용할 경우 연구 주제와 밀접한 선행연구로부터 시작해 그 선행연구를 인용하는 문헌 혹은 그 선행연구에서 인용한 문헌으로 조사의 범위를 넓혀 나갑니다. 스노우볼 샘플링은 키워드 검색을 통해 DB에서 관련 문헌을 찾을 때 보다 더 손쉽게 내가 찾고자 하는 주제와 밀접한 선행연구를 찾을 수 있다는 점에서 유용하게 활용될 수 있습니다.

둘째로 체계적 문헌연구에서 데이터 정제는 정제 조건을 어떻게 설정하느냐에 따라 적합한 연구 대상 문헌 선정 결과에 영향을 미칩니다. 체계적 문헌연구에서 정제과정이란 간혹 스크리닝(Screening)이라고 불리기도 하며 최초 수집한 데이터 중 연구 문제 또는 연구 주제와 관련이 낮은 데이터를 식별하고 삭제하는 과정을 말합니다. 일반적으로 정제과정은 제목과 초록, 본문 순으로 두 차례에 걸쳐 이뤄지는 경우가 많습니다. 정제과정을 시작하기 전 우선 연구 문제를 생각하며 어떤 내용을 담고 있는 문헌을 최종 연구 대상에 포함시킬지 고민하며 정제 기준을 정합니다. 자칫 최대한 많은 문헌을 연구 대상에 포함시키지 위해 정제기준을 모호하게 설정할 경우 연구 문제와 관련성이 낮은 문헌이 혼재될 가능성이 높아집니다. 따라서 정제기준은 가능한 연구 문제와 밀접하면서도 구체적으로 설정하는 것이 중요합니다.

통상 키워드 검색을 통해 많은 양의 문헌이 발견되므로 제목과 초록을 기준으로 1차 정제를 할 때는 각 DB에서 제공하는 엑셀로 내보내기 기능을 이용하면 편리하게 정리할 수 있습니다. 예를 들어, WoS를 기준으로 보면 엑셀로 찾아낸 문헌을 목록 형태로 내보낼 때 어떠한 항목을 포함해 내보낼 것인지 선택할 수 있습니다. 일반적으로 추후 데이터 정리 시 필요한 정보를 고려해 제목, 저자명, 발행연도, 저널명, 초록 등을 선택해 목록 형태로 내보내는 경우가 많습니다.

DB에서 받은 목록을 통해 1차적인 정제 작업을 마친 후 2차 정제는 남은 문헌을 내려 받고 분석 과정을 병행하며 정제기준에 맞지 않는 문헌을 삭제하며 진행합니다.

셋째로 체계적 문헌연구의 데이터 분석과 종합은 정량적인 측면과 정성적인 측면을 모두 갖고 있습니다. 체계적 문헌연구의 특성상 다수의 문헌을 수집하고 이를 분석, 종합하는 과정을 거치기 때문에 정량 분석에서 기술 통계(Descriptive Analysis)라고 부르는 내용을 최종 분석결과를 논의하기 전 제시합니다. 예를 들어, 제조기업의 혁신전략을 주제로 체계적 문헌연구를 진행한 경우 연도별 문헌 수, 저널별 문헌 수, 문헌 수에 따른 상위 10개 저널과 같은 내용을 이 부분에 기술할 수 있습니다. 또한 질적 코딩을 통해 관찰한 결과를 종합해 세부적인 분석 결과를 상술하는 세부 분석(In-depth Analysis)을 통해 정성적인 측면에서 연구 결과를 제시합니다.

"가용한 데이터가 있을 경우 유용한 정량적 연구방법"

다음으로 정량적 연구방법은 흔히 많은 사람들이 생각하는 연구방법으로 수치화 할 수 있는 데이터를 활용해 가설을 검증하는 분석방법을 말합니다. 회귀분석, 분산분석, 생존분석, 구조방정식 등 다양한 통계 분석기법이 정량적 연구방법 범주에 속합니다. 정량적 연구에서는 데이터 수집, 전처리, 연구 결과의 해석이 중요합니다.

첫째로 데이터 수집이란 연구 가설을 검증하는 데 적합한 데이터를 어디서 확보할 수 있는지 탐색하고, 연구에 활용할 수 있도록 이를 확보하는 과정으로 정량적 연구를 시작할 때 누구나 한 번쯤은 거쳐야만

하는 과정입니다. 수립한 가설을 검증하기 위한 데이터를 수집하는 데 어려움이 있을 경우 연구 가설을 다시 수립하거나, 연구 방향을 수정해야 하므로 간혹 가용 데이터를 먼저 확인하고 연구 가설을 설정하기도 합니다. 2차 데이터를 연구에 활용하기로 결정한 경우, 데이터 출처의 신뢰성이 매우 중요한데 가능하면 정부, 공공기관 등 신뢰할 수 있는 출처의 데이터를 활용하는 것이 바람직합니다. 설문조사와 같이 직접 데이터를 수집할 경우 설문지 문항을 설문지 작성법에 맞게 적절하게 설계할 필요가 있습니다.

둘째로 데이터 전처리는 분석을 시작하기 전 데이터를 분석하기에 적합한 형태로 만드는 작업으로 단순히 사전 작업 이상의 의미를 갖습니다. 일반적으로 수집한 데이터가 분석하기 위해 꼭 맞는 형태인 경우는 매우 드물기 때문에 간단하게라도 분석 전 전처리가 필요합니다. 전처리 과정에서는 주로 결측값 제거, 데이터 내 항목 명칭 통일, 중복된 자료 제거, 수치의 표준화 등이 이뤄집니다. 데이터 전처리 과정은 단순하고 지루한 과정이지만 전처리가 잘 되어 있지 않으면 추후 데이터 분석 결과의 정확도가 낮아질 수 있으므로 꼭 필요하고 중요한 과정입니다. 또한 데이터 전처리의 경우 연구자의 기여로 볼 수 있기 때문에 추후 논문 작성 시 3절 '데이터와 연구방법'에서 전처리를 어떻게 진행하였는지 기술하여야 합니다.

셋째로 정량연구에서 연구 결과의 해석은 도출된 결과에 대한 전달이 아니라 도출된 결과가 내포하고 있는 의미에 대한 해석을 말합니다. 흔히 정량연구에서 많이 범하는 오류 중 하나는 바로 분석 결과의 유의미함만을 논하고 연구를 마무리 짓는다는 점입니다. 물론 분석 결과의 유의미 혹은 유의미하지 않음을 논하는 것 역시 중요하지만 연구의 궁극적 목표는 분석 결과가 의미하는 바를 연구자가 유추하고 해석해 함의를 도출하는 것이 핵심입니다. 따라서 이 점에 유의하며 분석 결과를 연구자가 적극적으로 해석하고 시사점을 도출해내기 위한 노력이 필요합니다.

"정성적 연구방법과 정량적 연구방법의 결합"

마지막으로 혼합연구방법은 정성적 연구방법과 정량적 연구방법에 내재된 한계점을 극복하기 위한 방법으로 복수의 데이터와 연구방법을 하나의 연구에서 활용합니다. 혼합연구방법은 연구자에 따라 믹스드 메소드(Mixed-method) 혹은 멀티 메소드(Multi-method)라고 불리기도 합니다. 혼합연구방법은 말 그대로 여러 종류의 데이터 혹은 서로 다른 종류의 연구방법을 적용하는 것으로 단순히 정성 연구방법과 정량연구방법을 결합하는 형태로 국한되지 않습니다. 혼합 연구방법의 원리는 앞에서 콘텐트분석 설명 시 살펴보았던 Triangulation에 근거합니다. 즉, 연구에 사용되는 연구방법 혹은 데이터를 다양화함으로써 한 종류의 연구방법 혹은 데이터에 의존하지 않고 연구 문제를 다양한 관점에서 살펴볼 수 있기 때문입니다.

	Quantitative	*Qualitative*
Quantitative	Mono-strategy multi-method (1)	Multi-strategy multi-method (2)
Qualitative	Multi-strategy multi-method (3)	Mono-strategy multi-method (4)

[그림 4] 혼합연구에서 Mono-strategy와 Multi-strategy

혼합연구방법에 대해 다양한 시각이 존재하지만 본 책에서는 Bryman(2001)을 참고하여 아래 그림 4를 기준으로 살펴보겠습니다. 그림 4의 1번 유형의 경우 'Quan-Quan'형태의 결합으로 복수의 연구방법을 사용하지만 모두 정량연구방법으로 혼합연구이면서도 단일 접근법에 기반한 연구를 말합니다. 4번 역시 1번과 마찬가지로 'Qual-Qual' 결합으로 서로 다른 유형의 정성연구방법이 결합된 형태의 혼합연구로 하나의 접근법에 기반하지만 동일 접근법 내 서로 다른 특성을 가진 연구방법을 적용하는 연구 유형입니다. 반면 2번과 3번의 경우 'Quan-Qual' 또는 'Qual-Quan' 형태와 같이 서로 다른 접근법에 속한 연구방법을 결합한 혼합연구를 말합니다. 즉, 2번과 3번의 경우 최소 하나의 연구 방법 또는 데이터가 정성 혹은 정량연구방법에 속해 있는 형태로 동일한 접근법에 기반한 연구 방법을 결합해 활용하는 1, 4번의 경우 단일전략 혼합연구, 2, 3번의 경우 다중전략 혼합연구로 구분하기도 합니다. 또한 연구 내에서 활용되는 연구방법이 모두 동등한 비중으로 역할하지 않는 경우도 있으므로 2와 3번의 경우 어떤 연구방법이 주된 연구방법으로 작용하느냐에 따라 '*Quan*→Qual', '*Qual*→Quan', 'Quan→*Qual*', 'Qual→*Quan*'으로 세분화할 수 있습니다.

[표 4] 연구방법별 특징과 장단점

구 분	특 징	장단점
정성적 연구방법	▪ 연구 주제가 계량화할 수 없는 내용을 담고 있을 경우 적합 ▪ 어떠한 현상 혹은 이슈에 대해 다양한 질적 자료(뉴스, 보고서, 인터뷰 등) 바탕으로 탐색	▪ 연구 주제 선정 및 연구 설계 관련 탄탄한 논리적 근거 마련 필요 ▪ 데이터 수집 및 분석에 상당한 시간 소요 ▪ 질적연구를 위한 소프트웨어의 경우 관련 강의가 제공되는 경우가 드물어 독학 필요
정량적 연구방법	▪ 특허, R&D 지출, 매출 등 계량 가능한 데이터를 통해 수립된 가설을 검증하는 연구에 적합 ▪ 어떠한 현상에 대해 깊이 있는 관찰결과를 제공하기는 어려움	▪ 다양한 정량연구를 위한 강의 활용 가능 ▪ 상대적으로 짧은 데이터 분석 소요기간 ▪ 기업 데이터의 경우 공공에 공개되지 않는 경우가 있어 데이터 확보에 어려움 발생 가능

구 분	특 징	장단점
혼합 연구방법	▪ 정성연구와 정량연구의 단점을 보완한 방식	▪ 복수의 연구방법을 활용하는 만큼 상대적으로 연구에 많은 시간 소요 ▪ 정성분석을 통해 이슈에 대해 고찰하고 이를 정량분석으로 입증하거나, 정량분석 결과를 정성분석을 통해 입증 가능

이번 장에서 살펴본 정성적 연구방법, 정량적 연구방법, 혼합연구방법 각각의 특징과 장단점을 정리하면 표 4와 같습니다. 연구 주제 혹은 연구 문제의 특성에 따라 효과적으로 연구를 수행하는 데 도움이 되는 방법이 달라지므로 표 4의 연구방법별 특성을 고려하여 나의 연구 주제에 가장 적합한 연구방법을 선정할 필요가 있습니다.

연구 주제 외 연구방법 선정 시 한 가지 더 고려해야 할 점은 바로 데이터입니다. 아무리 좋은 데이터가 있다고 하더라도 연구자가 이를 확보할 수 없다면 무용지물이기 때문에 우선 내가 직접 확보할 수 있는 데이터로는 무엇이 있는지 확인해야 합니다. 기술경영분야에서는 기업 정보와 관련된 데이터를 활용하는 경우가 많은데 통상 기업 내부 정보에 대한 데이터는 연구에 활용하기 어려우므로 인터뷰를 하는 등 연구자가 직접 데이터를 수집하지 않는 이상 공공 데이터베이스 혹은 공개된 자료 중 연구에 활용할 데이터를 선택할 수밖에 없습니다.

데이터 가용성 외 한 가지 더 고려해야 할 점은 바로 데이터 신뢰성입니다.

믿을 수 있는 출처의 데이터가 아닌 경우 데이터에 대한 신뢰성에 문제가 제기될 수 있으므로 데이터의 출처를 고민할 필요가 있습니다. 따라서 많은 연구자들이 Scopus, WoS 등 논문을 전문적으로 제공하는 데이터베이스, EPO, USPTO 등 각 국의 특허청 자료, 기업 공시 보고서 등 누구나 신뢰할 수 있는 자료라고 판단할 수 있는 출처의 데이터를 주된 연구 자료로 활용하고 있습니다. 기술경영분야에서 활용할 수 있는 주된 데이터 출처는 아래 표 5와 같으며 이 외에도 각 대학에서 구독하고 유료 데이터베이스 등을 활용할 수도 있습니다.

[표 5] 주된 데이터 출처

연구방법	데이터 출처	특징
정성	▪ 美 증권거래위원회 (www.sec.gov)	▪ 흔히 10K 리포트라고 불리는 연례보고서 제공 ▪ 우리나라의 전자공시시스템과 유사
	▪ Factiva	▪ 다우존스에서 운영하는 유료 미디어 자료 DB ▪ 다양한 출처의 미디어 자료와 기업 분석 제공
	▪ WoS, Scopus 등 논문 DB	▪ 유료 구독 기반 서비스로 각 대학별 구독 여부 확인 필요 ▪ SCI(E)/SSCI 저널 등재 논문, 학술대회 프로시딩, 도서 등 검색 가능
정량	▪ 공공데이터포털 (www.data.go.kr)	▪ 공공기관의 다양한 데이터 (행정, 교통, 산업고용 등) 제공
	▪ WIPSON	▪ 한국, 미국, 유럽 등 글로벌 특허 정보 검색 및 추출 ▪ 유료 특허 DB로 기관별 구독 여부 확인 필요

참고 문헌

Bryman, A. (2001). *Social research methods*. Oxford University Press.

Given, L. M. (Ed.). (2008). *The Sage encyclopedia of qualitative research methods*. Sage publications.

Jackson, R. L., Drummond, D. K., & Camara, S. (2007). What is qualitative research?. *Qualitative research reports in communication, 8*(1), 21-28.

McCusker, K., & Gunaydin, S. (2015). Research using qualitative, quantitative or mixed methods and choice based on the research. *Perfusion, 30*(7), 537-542.

Morgan, D. L. (1998). Practical strategies for combining qualitative and quantitative methods: Applications for health research. *Qualitative Health Research, 8*, 362-376.

Saldana, J. (2011). *Fundamentals of qualitative research*. Oxford university press.

Xiao, Y., & Watson, M. (2019). Guidance on conducting a systematic literature review. *Journal of planning education and research, 39*(1), 93-112.

Yin, R. K. (2009). *Case study research: Design and methods*. Sage publications.

연구 결과를 논문으로

분석된 결과를 각 저널에서 요구하는 양식에 맞춰 작성하는 것은 생각보다 많은 시간이 걸리고 논리적인 사고를 요하는 작업입니다. 이번 장에서는 효율적으로 논문 초안을 작성하기 위한 방법을 논의하며 논문 초안 작성 준비부터 실제 작성까지 초보 연구자들이 각 단계별로 차근차근 따라할 수 있도록 가능한 한 자세히 작성방법과 작성 유의사항을 설명해두었습니다. 5장을 읽어보며 5장에 제시된 가이드에 따라 조금씩 논문을 작성해본다면 시행착오를 줄이며 성공적으로 논문을 완성할 수 있을 것입니다.

논문 작성 시작 전 확인해야 할 것은 크게 두 가지로 논문 작성 양식과 레퍼런스 스타일이 있습니다. 저널에 투고하기 위한 논문이라면 각 저널별 규정하고 있는 논문 작성 양식을 확인해야 하며 학위논문이라면 학교에서 정하는 학위논문 작성양식을 확보해야 합니다. 저널의 경우 정해진 양식이 있을 경우 MS워드 템플릿을 제공하기도 하지만 간혹 별도 템플릿 없이 글자 크기나 작성 방법 정도만 제시하고 자유 양식으로 제출하도록 하는 경우도 있습니다. 각 저널에서 규정하고 있는 논문 작성 양식은 'Submission guidelines'를 통해 확인할 수 있습니다.

레퍼런스 스타일의 경우 저널별로 정해진 고유한 스타일이 있는데 이러한 정보도 저자들을 대상으로 한 저널 투고 가이드라인에서 확인할 수 있습니다. 논문을 작성하다 보면 매번 서로 다른 레퍼런스 스타일로 인해 문서 작업 시 번거로운 경우가 많은데 서지 프로그램을 활용하면 간단히 해결할 수 있습니다. EndNote, Mendeley 등 다양한 서지 프로그램이 있으며 소프트웨어마다 UI, 유·무료 여부 등에 차이가 있으므로 여러 소프트웨어를 사용해보고 그 중 자신에게 가장 잘 맞는 소프트웨어를 활용할 것을 추천합니다.

"논문 작성 시작은 전체적인 틀 구상부터"

논문 초안을 작성하기에 앞서 제일 먼저 준비해야 하는 것은 바로 논문 내용을 어떻게 구성할지 구상하는 것입니다. 논문 내용 구성은 2장의 연구 설계와 연계되는 내용으로 논문의 전체적인 틀을 잡고 각 절마다 어떤 내용을 어떤 순서로 담을지 구상하는 작업을 말합니다. 논문 내용 구성 시 자신의 연구 주제와 유사한 주제로 작성된 논문을 참고하면 어떻게 논문을 작성해야 할지 감을 잡을 수 있으므로 내용 구성 시 참고할 만한 논문을 1~2편정도 선정해두면 좋습니다.

논문 내용은 가능하면 세부적인 부분까지 자세히 구상하는 것이 좋습니다. 예를 들어, 서론 부분에 들어갈 내용을 구상한다면 연구 도입부에는 어떤 내용으로 독자의 관심을 끌 것인지, 그리고 서론 내 들어갈 내용을 어떤 순서로 구성해야 문맥이 매끄러울지 고려해야 합니다. 초안 작성 시작 전 어떠한 내용을 어떤 순서로 작성할 것인지 고민하는 과정을 통해 논문 내 중복되는 내용을 줄일 수 있으며 추후 초안 탈고 후 검토하는 과정에서의 수고를 덜 수 있습니다.

"초록은 논문 작성 마무리 후, 서론부터 작성해야.."

일반적으로 학생들이 논문 작성을 시작할 때 많이 범하는 오류 중 하나는 바로 초록부터 작성하기 시작하는 것입니다. 초록은 논문의 제일 말머리에 위치하며 논문이 담고 있는 내용을 요약해서 제공하는 부분으로 독자들이 초록을 바탕으로 본문을 읽을 것인지 결정할 만큼 중요한 역할을 합니다. 초록의 특성을 고려하였을 때 전체 논문 내용이 완성된 뒤 이 내용을 바탕으로 논문이 담고 있는 내용을 함축적으로 전달할 수 있도록 작성하는 것이 바람직합니다.

통상 서론, 선행연구, 데이터와 분석방법, 연구결과, 결론 순으로 논문 초안을 작성하는 것이 일반적이나 3절에 주로 위치하는 데이터와 연구방법을 서론보다 먼저 작성해도 무방합니다. 데이터와 연구방법의 경우 데이터 수집 출처와 절차, 수집된 데이터의 특성, 연구방법 소개와 분석 절차 등을 소개하는 부분으로 서론 등 논문 내 다른 부분보다 손쉽게 작성을 시작할 수 있습니다. 다음 장부터 서론부터 결론 순으로 논문 초안 작성 방법에 대해 논의하겠습니다.

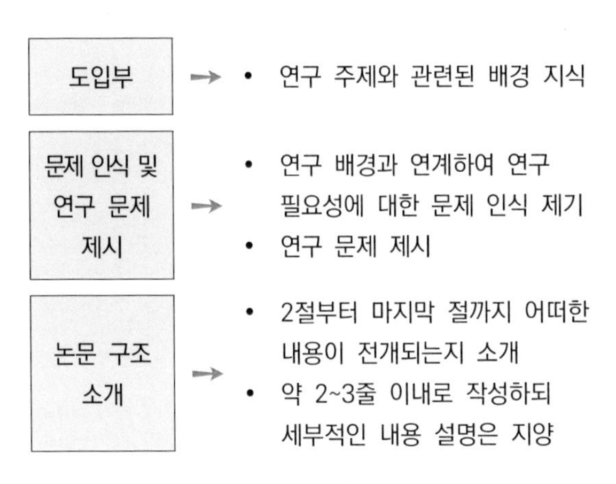

[그림 5] 1절(서론) 구조

서론은 논문의 시작 부분에 위치하고 있어 내용이 흥미로운 정도에 따라 독자들이 논문을 더 읽어볼 것인지 결정하므로 논문에서 꽤 중요한 역할을 담당하고 있습니다. 서론의 경우 그림 5와 같이 크게 세 부분으로 구성되어 있습니다. 도입부는 연구 주제와 관련된 배경 지식 혹은 키워드를 토대로 본격적으로 연구 주제를 제시하기 전 독자의 흥미를 유발하고 연구 주제에 대한 이해를 돕는 역할을 합니다. 예를 들어, 전기자동차 산업 내 기업 간 협력 양상 변화에 대한 연구 논문일 경우 도입부에서 전기자동차 시장 출현 배경, 신 시장 출현에 따른 신규 진입자와 전통적 자동차 제조기업 간 경쟁 구도 형성 등을 논의하면 독자의 관심을 끌 수 있을 것입니다.

도입부의 주된 목적은 독자의 흥미를 유발하고 관심을 갖고 논문을 이어서 읽도록 하는 데 있으므로 기술적 내용에 대한 자세한 설명과 연구 주제와 밀접한 관련이 없는 내용 설명은 지양합니다. 또한 도입부는 말 그대로 뒷부분에 이어질 내용을 자연스럽게 이어주기 위한 부분이므로 도입부가 과도하게 길어지지 않도록 분량에 주의하며 작성할 필요가 있습니다. 일반적으로 서론은 1.5페이지 이내로 작성하므로 도입부는 0.5페이지 이내로 작성하는 것이 좋습니다.

"서론의 주된 목적은 독자의 흥미유발"

도입부를 통해 연구 주제에 대해 자연스럽게 운을 띄웠다면 다음으로 도입부에 언급한 내용과 연결 지어 문제를 제기하고 이를 통해 연구 필요성을 제시해야 합니다. 앞에 예시로 든 전기자동차 산업 내 기업 간 협력 양상 변화에 대한 연구를 기준으로 살펴보겠습니다. 우선 도입부에서 배기가스 규제와 전기자동차의 출현, 이로 인한 기존 내연기관 차량의 독주 중단에 대해 언급했다면 이 내용과 연결 지어 기존 연구를 토대로 신기술 및 신제품 출현에 따른 시장 변화, 그리고 시장 변화에 대응하기 위한 하나의 전략으로서 기술협력의 중요성에 대해 제시할 수 있습니다. 이를 토대로 그 간의 전기자동차 시장에 대한 연구에서 관련 기술의 발전, 전통 자동차 제조기업의 경쟁우위 상실 등에 대해서 토의했지만(→ 기존 연구 결과) 산업 내 기업 간 협력 양상 변화에 대한 논의가 충분히 이뤄지지 않았다는 점을 지적(→ 문제 인식)함으로써 연구 필요성을 독자에게 충분히 어필할 수 있습니다.

서론의 두 번째 부분에서 선행연구 결과를 토대로 문제 인식을 하고 A라는 연구에 대한 필요성을 제시했다면 기존 연구의 부족한 점을 채우기 위해 A를 연구하겠다고 언급하며 연구 문제가 제시되어야 합니다. 연구 문제란 해당 연구를 통해 어떠한 내용을 살펴볼 것인지 함축적으로 담고 있는 문장으로 의문문 형태 혹은 선언적인 문장으로 작성할 수 있습니다. 서론을 작성하기 전 다양한 논문을 통해 저자들이 어떠한 방식으로 연구 문제를 제시했는지 살펴보면 작성하는 데 크게 도움이 될 수 있습니다.

일반적으로 서론의 마지막 부분은 2절부터 결론까지 이어질 내용에 대한 간단한 소개를 담고 있으며 통상 2~3줄 내외로 작성합니다. 이 부분에서는 각 절이 담고 있는 구체적인 내용을 설명하기 보다는 앞으로 어떠한 내용이 전개되는지 간단히 소개하는 정도로만 마무리 합니다.

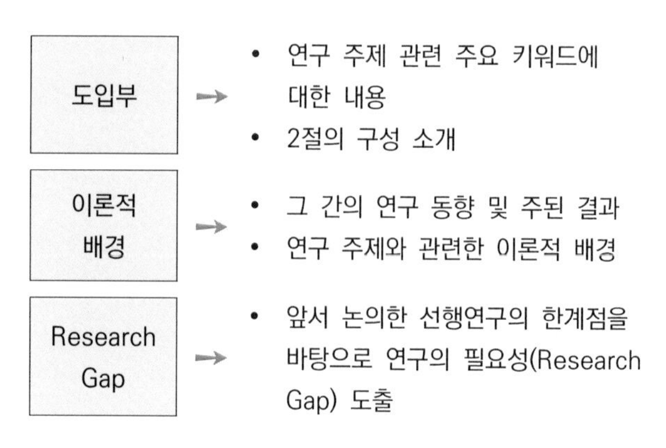

[그림 6] 2절(선행연구) 구조

2절에 위치하는 선행연구 부분은 논문 내에서 'Theoretical Background' 혹은 'Literature Review'라고 제목을 붙이기도 합니다. 2절의 주된 목적은 바로 연구 주제와 관련한 이론적 배경을 제시하고 기존 논의의 한계점을 토대로 연구 필요성을 강조하는 데 있습니다. 특히 2절은 연구 주제와 관련한 이론적 배경을 제시함으로써 연구 프레임워크 또는 연구 결과 해석 시 활용되는 개념에 대한 독자의 이해를 돕는 역할을 합니다.

"선행연구는 기존 문헌에 대한 요약이 아니라 연구주제와 관련된 이론적 배경 전달에 집중해야.."

2절 작성 시 가장 유의해야 할 점은 기존 문헌을 검토하고 이를 요약하는 방식으로 작성해서는 안 된다는 점입니다. 2절에 물론 기존 연구 결과에 대해 논의하는 부분이 있지만 이 부분은 연구 주제와 관련한 배경지식을 독자에게 전달하고 연구 필요성과 4절에 나올 분석 결과를 이해하기 쉽도록 하기 위한 것으로 기존 연구 결과를 요약해서 나열해야 한다는 의미는 아닙니다. 따라서 2절 작성 시 기존 문헌의 연구 결과를 자신의 것으로 만들어 정리하되 연구 주제와 잘 연결 지어 스토리텔링이 될 수 있도록 정리해서 기술해야 합니다. 선행연구의 마지막 부분에서는 앞에서 논의한 기존 문헌을 중심으로 본 연구의 필요성을 주장하는 문장이 들어가야 합니다. 예를 들어, 내가 하고자 하는 연구 주제가 A라면 기존 문헌에서는 B, C, D에 대해 논의하였지만 A라는 부분에 대해서는 충분히 연구되지 않았으므로 본 연구를 통해서 A에 대해 살펴볼 필요가 있다고 설명할 수 있습니다.

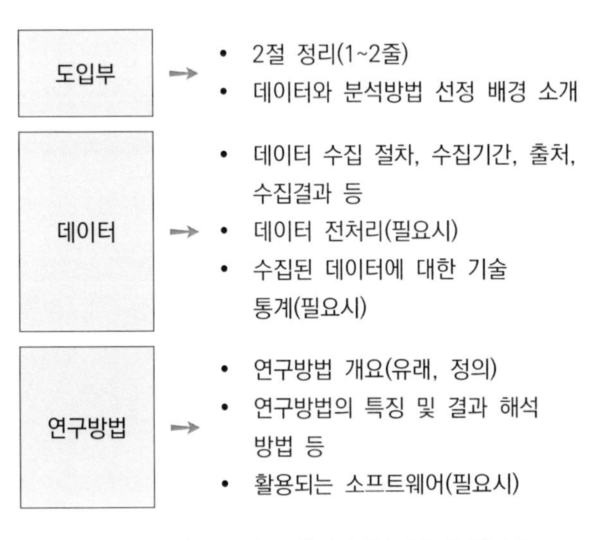

[그림 7] 3절(데이터와 연구방법) 구조

데이터와 연구방법은 통상 논문 내 2절 선행연구에 이어지는 부분으로 선행연구를 통해 살펴본 기존 연구 결과와 연구 갭을 토대로 연구 목적을 달성하기 위해 연구 문제를 어떤 도구와 방법을 사용해 살펴볼 것인지 독자에게 알려주는 부분이라고 할 수 있습니다. 따라서 3절 첫 머리는 2절에서 논의한 내용과 연결 지어 연구 문제를 어떻게 살펴볼 것인지 제시합니다. 즉, 어떤 방식으로 연구 목적을 달성할 것인지 설명합니다. 어떠한 방식으로 연구 문제에 접근할 것인지 설명함으로써 독자에게 3절의 주된 내용인 논문에서 어떤 자료와 방법을 활용할 것인지 설명하기 위한 토대를 마련할 수 있습니다. 따라서 그림 7과 같이 3절 서두에서 2절 내용을 두어 줄 정도로 간단히 정리하고 데이터와 분석방법 선정 배경을 소개하여 뒷부분에 이어지는 데이터와 연구방법에 대한 설명이 문맥상 매끄럽게 이어지도록 합니다.

3절에서는 그림 7과 같이 연구방법에 대한 설명을 제시하기 전 우선 데이터에 대한 설명을 작성합니다. 연구 문제 혹은 연구 목적을 달성하기 위해 활용할 수 있는 데이터는 무엇이며, 이를 어떻게 확보할 수 있는지, 데이터의 특성은 무엇인지 등 연구에서 활용될 데이터에 대해 자세한 정보를 제공합니다. 이 부분은 뒤에 나올 연구방법과 마찬가지로 데이터를 선정한 이유, 출처 및 수집방법에 대해 독자에게 충분한 근거를 제시해야 하며 논리적 근거가 타당하지 않을 경우 향후 피어리뷰 과정에서 지적을 받을 수 있습니다.

간혹 연구자들이 3절에서 데이터 수집기간은 제시하였으나 수집기간을 정한 이유에 대해서는 설명하지 않는 경우가 있는데 데이터 수집 시작시점과 종료시점을 정한 사유도 독자들이 충분히 이해할 수 있는 근거를 바탕으로 제시해야 합니다.

"분석 대상기간 선정에 대한 타당한 근거를 반드시 제시"

예를 들어, 2015년부터 2020년 중 출원된 반도체산업 특허를 대상으로 연구를 진행한다고 가정했을 때 분석 대상기간을 왜 2015년부터 2020년으로 설정했는지 그 이유를 설명할 필요가 있습니다. 아래 예시는 반도체 분야를 대상으로 한 R&D 협력에 대한 연구로 1990년부터 2010년을 연구 대상으로 기간으로 선정하며 그 근거로 DUV 제조 기술이 출현 이후 해당기간 동안 반도체 분야에서 괄목할 만한 기술적 성장이 있었다는 점을 제시하였습니다.

[예시] The context for the study is the global semiconductor manufacturing industry from **1990 to 2010. During this period, the industry witnessed rapid economic growth and achieved remarkable exponential progress along the trajectory referred to as Moore's Law.** This progress was fueled by the emergence of deep ultraviolet (DUV) manufacturing technology in the late 1980s and its evolution over the subsequent two decades (Iansiti, 1998; Martin and Salomon, 2003; Kapoor and Adner, 2007). (출처: Kapoor, R., & McGrath, P. J. (2014). Unmasking the interplay between technology evolution and R&D collaboration: evidence from the global semiconductor manufacturing industry, 1990-2010. Research policy, 43(3), 555-569.)

앞서 살펴본 예시와 같이 데이터 분석 대상기간 선정에는 여러 이유가 있을 수 있지만 단순히 최근 5개년 내지 10개년과 같은 이유는 데이터 분석기간 설정의 논리적 근거가 될 수 없습니다. 따라서 분석기간 설정 시 연구 주제와 관련한 특별한 이벤트 발생과 같은 타당한 사유를 마련할 필요가 있습니다.

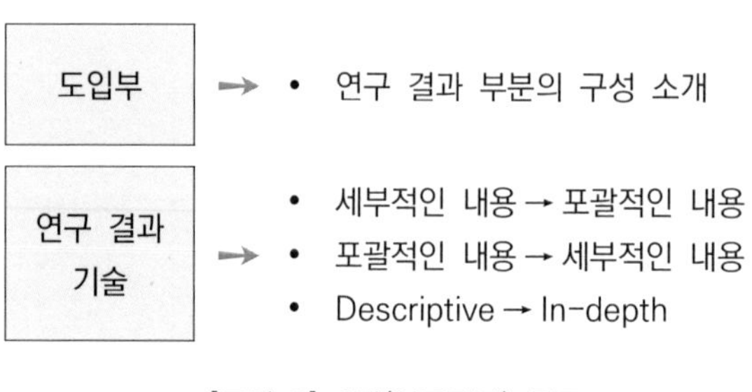

[그림 8] 4절(연구결과) 구조

연구 결과 부분은 데이터 분석을 통해 얻어낸 결과를 기술하는 부분으로 도출된 결과를 묘사하는 것에서 그치지 않고 연구자의 해석이 더해져야 그 가치가 제대로 빛날 수 있는 부분입니다. 우선 4절의 서두에는 4절의 전체적인 구성을 소개하여 독자들이 연구자의 의도를 제대로 이해할 수 있도록 합니다. 그림 8과 같이 4절은 연구자가 어떻게 구성하느냐에 따라 다양한 방식으로 기술될 수 있습니다.

"4절은 연구자의 의도에 따라 다양하게 구성 가능"

예를 들어, 세부적인 내용을 먼저 서술하고 마지막 부분에서 이를 종합해서 포괄적인 내용을 설명할 수도 있고, 포괄적인 그림을 먼저 보여주고 세부적인 내용을 하나씩 설명하는 방식으로 4절을 구성할 수도 있습니다. 혹은 기술적 분석(Descriptive Analysis) 제시 후 세부 분석(In-depth Analysis)을 제시하는 방식도 있으며 이러한 방식은 주로 SLR과 같이 다수의 자료를 활용하는 연구에 적합합니다. 이 방식은 우선 전체 자료에 대한 개괄적 분석을 제시하고 그 다음으로 세부 내용에 대한 분석을 제시하는 방향으로 연구 결과를 기술하는데 전체적인 자료의 특성을 보여주고 자세한 내용을 이어서 설명하기 때문에 방대한 자료의 분석 결과를 이해하기 쉽게 전달할 수 있습니다. 어떠한 방식으로 연구 결과를 제시할 것인지는 연구자의 의도와 연구 주제에 따라 선호하는 방식이 달라지므로 선행연구 조사 시 각 연구에서 어떤 식으로 결과를 기술하였는지 구조를 살펴보면 자신의 연구에 적합한 논문 구성방식을 찾는 데 도움이 됩니다.

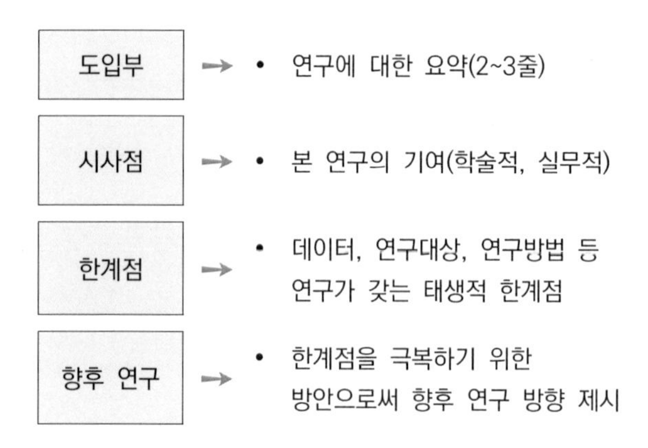

[그림 9] 5절(결론) 구조

연구의 마지막 부분에 위치하는 결론은 전체 연구에서 적은 비중을 차지하지만 내용적인 측면에서 보면 결론을 어떻게 작성하느냐에 따라 연구 결과의 가치가 더 빛나기도, 혹은 볼품없어 보이기도 하기 때문에 많은 공을 들여 작성해야 하는 부분입니다. 결론은 그림 9와 같이 크게 네 부분으로 구성됩니다. 우선 도입부에서는 2~3줄 정도로 어떤 내용으로 연구를 했는지 정리합니다. 연구 내용에 대한 요약이라고 해서 연구의 전체 내용을 구구절절 요약하는 경우가 있는데 연구를 어떻게 진행했고, 어떠한 결과가 나왔는지 요약하는 것이 아니라 간단히 무슨 내용으로 연구를 했는지 설명하면 됩니다.

결론에서는 본인의 연구 결과가 학계에서 혹은 현업에서 어떻게 활용될 수 있을지 기술하는데 이를 시사점 혹은 함의라고 합니다. 통상적으로 학술적 기여와 실무적 기여로 구분해 자신의 연구가 어떻게 도움을 줄 수 있을지 설명합니다. 그 다음으로 자신의 연구가 갖는 데이터 특성, 연구대상, 연구방법 등으로 인한 태생적 한계점을 기술합니다. 모든 연구는 데이터 수집의 한계라든가, 특정 산업만을 분석했다든지 반드시 한계점을 갖기 마련입니다. 따라서 자신의 연구 결과를 모든 분야에 일반화할 수 있을지 고민해본다면 쉽게 한계점을 찾아낼 수 있을 것입니다.

결론의 가장 마지막 부분은 앞서 언급한 한계점을 극복하기 위한 방안으로써 향후 연구 방향을 제시합니다. 향후 연구는 연구에서 다루지 못했던 부분을 제시하는 경우가 일반적입니다. 예를 들어, 한국 제조기업의 혁신전략에 대한 연구일 경우 KCI 논문만을 대상으로 분석을 실시했다면 향후 연구에서 국내 연구자의 SSCI(E) 논문으로 분석 대상을 확장하겠다고 제시할 수 있습니다. 간혹 피어리뷰 중 리뷰어가 제안한 새로운 분석방법 혹은 데이터 적용을 현실적으로 당장 반영하기 어려울 때 향후 연구에 이를 언급하고 넘어가기도 합니다.

참고 문헌

Evans, D., Gruba, P., & Zobel, J. (2011). *How to write a better thesis* (3rd ed.). Springer.

초보 연구자를 위한 저널 투고 가이드라인

논문 초안에 대한 영문 교열 등의 검토 작업이 끝났다면 가장 마지막 단계인 저널 투고가 남습니다. 저널 투고를 처음 준비할 때면 무엇을 준비해야 하고, 절차가 어떻게 되는지 알지 못해 어려움을 겪는 경우가 많습니다. 이번 장에서는 저널 탐색부터 저널 투고 후 리뷰어 의견에 대한 답변 방법까지 저널 투고의 시작부터 마무리까지 어떤 과정을 통해 피어리뷰가 이루어지는지 살펴보도록 하겠습니다.

"나에게 가장 적합한 저널은?"

저널 투고를 위한 첫 단계는 바로 내 연구에 적합한 저널을 찾는 것입니다. 저널 탐색은 단순히 내 연구 주제와 저널의 주된 연구 분야가 유사한지만을 판단하는 것이 아니라 그 외 다른 중요한 사항들도 고려됩니다. 예를 들어, 타겟 저널 선정 시에는 저널 투고부터 최종 게재까지의 평균적인 소요 기간이나 해당 분야에서의 저널의 입지(수준), 게재료, 게재 확정부터 최종 발간까지의 소요 기간 등 다양한 요소가 고려됩니다. 특히 논문 게재 확정을 받아야 졸업 요건을 갖추는 대학원생 입장에서는 평균 소요 기간이 저널 선택의 가장 중요한 요인으로 작용할 수도 있습니다. 연구자의 저널 선택 시 주된 고려 요인으로는 소요기간, 비용, 저널의 명성(인지도), 내 분야와의 적합성이 있습니다. 위 네 가지 고려요인에 대해서 세부적으로 살펴보도록 하겠습니다.

첫째로 소요기간의 경우 아직 졸업 전인 대학원생들에게 가장 크게 작용하는 고려 요소입니다. 통상적으로 오픈 액세스(Open Access) 저널의 경우 투고 후 피어리뷰, 최종 발간까지 소요기간이 짧은 편이며 오래 되고 역사와 전통이 있는 저널의 경우 게재 확정까지의 기간이 평균 1년 이상, 발간까지는 투고부터 2년 반까지 걸리는 경우도 있습니다. 이처럼 소요기간이 연구자에게 중요하지만 저널에서 평균적인 소요기간을 공개하는 경우는 드뭅니다. 따라서 연구 커뮤니티 등을 통해 연구자들의 경험을 바탕으로 저널의 소요기간을 비공식적으로 확인하고 투고 여부를 판단하는 경우가 많습니다. 따라서 논문 투고 전 소요기간을 대략적으로 예측하기 위해서 표 6과 같은 방법을 활용할 수 있습니다.

[표 6] 저널별 투고부터 게재까지 소요기간 확인 방법

No	소요기간 확인 방법	특징
1	▪ 각 저널 홈페이지	▪ 각 저널 홈페이지 내 평균 소요기간에 대한 정보가 있을 경우 확인 가능
2	▪ SciRev	▪ 실제 연구자들의 각 저널별 리뷰 경험을 공유한 데이터를 바탕으로 저널 관련 통계 제공 ▪ 투고 논문 처리 절차 소요기간, 리뷰어수, 리뷰 보고서 수준 등에 대한 정보 제공 ▪ 여러 저널과 비교 가능
3	▪ IEEE Publication Recommender	▪ IEEE 서비스 저널별 평균 게재 소요기간 정보 제공 ▪ 초록, 키워드, 논문 제목에 기반한 저널 추천 서비스 제공
4	▪ 관심 저널 게재 논문을 통한 확인	▪ 관심 저널에 게재된 논문별 첫 페이지 각주에 기재된 투고일, 게재일 등 정보를 토대로 대략적인 소요기간 추측

둘째로 비용은 경우 논문 게재 확정 시 지불해야 하는 게재료를 말하며 오픈 액세스 여부와 그림 등 그래픽의 컬러 인쇄 선택 여부에 따라 크게 달라집니다. 통상 화려한 컬러 그림이 필요한 경우가 아니면 추가 비용이 들지 않는 흑백으로 하는 경우가 많습니다. 오픈 액세스의 경우 빠른 게재가 필요할 경우 혹은 논문 인용을 늘리기 위한 목적으로 선택하는 경우가 많으며 저널별로 금액 차이가 있으나 오픈 액세스를 선택할 경우 보통 $2,000~$2,500 내외로 게재료가 소요됩니다. 최근 몇 년 사이 과거와 달리 오랜 전통을 가진

저널에서도 오픈 액세스 옵션을 추가하는 추세로 앞으로 많은 저널들이 전통 방식과 오픈 액세스 모두 제공하는 하이브리드 저널로 변화할 것으로 보입니다.

셋째로 저널의 명성 혹은 인지도의 경우 해당 분야 내 저널의 위치를 알 수 있는 지표로 활용되며 흔히 임팩트 팩터(Impact Factor)라고 많이 지칭합니다. 임용 대비 논문 실적이 필요한 연구자와 임용 주체인 대학의 경우 주로 상위 저널에 게재된 논문 대상 가산점을 부여하거나, 진급 가점을 산정할 때 참고자료로 많이 활용합니다. 임팩트 팩터란 논문이 학계에 미치는 영향을 인용 수치를 기준으로 산출해낸 지표로 매년 각 저널별 임팩트 팩터가 갱신되고 임팩트 팩터가 높을수록 해당 저널이 학계에 미치는 영향력이 크다고 판단하기도 합니다.

임팩트 팩터와 관련하여 추가적으로 타겟 저널 선정 시 고려하는 지표로는 카테고리별 사분위값(Quartile)과 카테고리별 백분위값(Percentile)이 있습니다. 사분위값이란 분야 내 저널을 임팩트 팩터 기준으로 나누었을 때 특정한 저널이 상위 몇 퍼센트에 해당하는지 사분위값으로 나타낸 것을 말합니다. 흔히 저널의 사분위값을 얘기할 때 Q1~Q4로 구분해 얘기하며 Q1은 상위 25%에 속하는 저널로 일반적으로 연구자들이 말하는 좋은 저널은 Q1~Q2에 해당하는 저널이 많습니다. 카테고리별 백분위의 경우 해당 저널이 상위 몇 퍼센트에 속하는지 보여주며 대학에서 연구 실적 평가 시 간혹 카테고리별 백분위를 제출하도록 요구하는 경우도 있습니다.

마지막으로 내 분야와의 적합성이란 자신의 연구 주제와 타겟 저널의 적합도를 말하며 분야가 적합하지 않을 경우 저널에 게재되기 어려울 뿐 아니라 데스크 리젝 되어 피어리뷰조차 진행하지 못할 수 있으므로 적합도를 판단하는 것도 상당히 중요합니다. 타겟 저널과 내 연구 분야와의 적합성은 각 저널 홈페이지 내 작성된 연구 분야와 최근 게재 논문의 주제를 통해 파악할 수 있습니다. 홈페이지의 저널 소개에 작성된 연구 분야의 경우 다소 모호하게 작성된 경우가 많고 최근 해당 저널에 주로 게재된 연구 분야를 반영하지 못하는 한계점이 있습니다. 따라서 최신 논문을 중심으로 타겟 저널에 어떠한 주제의 연구가 많이 실렸는지 살펴봄으로써 내 연구 주제와 타겟 저널의 적합도를 판단할 수 있습니다.

"JCR Web을 이용한 저널 탐색"

저널 탐색 시 대표적으로 많이 활용되는 데이터베이스는 SCI(E) · SSCI 마스터 저널 리스트와 저널 구독 서비스를 운영하는 Clarivate의 JCR(Journal Citation Reports) Web입니다. JCR Web은 유료로 운영되는 저널 평가 데이터베이스로 분야별, 출판사별, 국가/지역별 저널 정보를 제공합니다. 아직 자신의 분야에 어떠한 저널이 있는지 잘 모를 때 JCR Web의 카테고리 검색 기능을 이용해 분야별로 어떠한 저널이 있는지 살펴볼 수 있습니다. 기술경영분야의 경우 대분류 Engineering 내 Engineering, Industrial, Economics & Business 내 Business, Management, 그리고

Multidisciplinary 내 Social Sciences, Interdisciplinary에 속한 저널을 타겟으로 삼는 경우가 많습니다. 혹은 자신의 연구 주제 특성에 따라 헬스케어에 대한 연구라면 헬스케어 분야 저널 중 저널의 주제 범주가 자신의 연구와 맞는다면 헬스케어 분야 저널을 택해도 좋습니다. 또한 JCR Web에서는 앞서 살펴본 저널 선택 시 고려요인 네 가지 중 저널의 저명도를 확인할 수 있습니다. JCR Web에서 관심 있는 저널명을 검색해보면 저널의 카테고리별 사분위와 백분위, 임팩트 팩터를 확인할 수 있습니다.

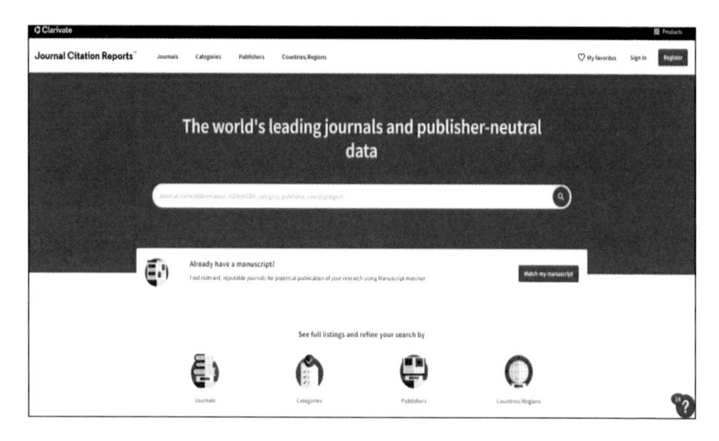

[그림 10] JCR Web

최근 기술경영분야에서 많이 투고하는 저널로는 각 분야별로 아래 표 7과 같은 저널이 있습니다. 흔히 11대 저널이라고 불리는 저널들의 경우 전통적인 저널로 게재 소요기간이 짧게는 6개월에서 길게는 1년 이상 소요되는 경우가 있으므로 본인의 가치관과 목표에 맞춰 앞서 살펴본 저널 탐색 방법과 저널 선택 시 고려요인을 토대로 어느 저널이 나에게 맞을지 판단해보길 바랍니다.

[표 7] 기술경영분야 주요 저널

구분	분야	저널명(창간년도)	JCR 백분위
11대 저널	기술경영	IEEE Transactions on Engineering Management(1954)	Q1
11대 저널	기술경영	International Journal of Technology Management(1986)	Q3
11대 저널	기술경영	Journal of Engineering and Technology Management(1984)	Q2
11대 저널	기술혁신, 혁신관리	Journal of Product Innovation Management(1984)	Q1
11대 저널	기술개발, 기술기획, 프로젝트관리	R&D Management(1970)	Q2
11대 저널	기술경영, 기술정책	Research Policy(1971)	Q1
11대 저널	연구개발관리	Research-Technology Management(1988)	Q3
11대 저널	혁신관리, 기술전략	Technology Analysis&Strategic Management(1989)	Q2
11대 저널	기술예측, 기술혁신, 기술전략	Technological Forecasting and Social Change(1986)	Q1
11대 저널	기술혁신	Technovation(1981)	Q1
11대 저널	기술이전	Journal of Technology Transfer(1976)	Q2
기타	특허, 기술분석	Scientometrics(1979)	Q2
기타	지속가능성, CSR	Journal of Cleaner Production(1993)	Q1

구분	분야	저널명(창간년도)	JCR 백분위
기타	공학경영	IEEE Access(2013)	Q2
기타	기술변화와 비즈니스	Technology in Society(1979)	Q1
기타	전략경영	Strategic Management Journal(1980)	Q1

영문 교열 등 논문 마무리 후 최종 투고 전 커버레터를 작성해야 합니다. 커버레터란 타겟 저널의 에디터를 대상으로 나의 논문을 투고하는 이유를 설명하는 도구라고 생각하면 이해하기 쉽습니다. 커버레터는 별도 양식이 정해져 있지 않지만 일반적으로 워드 파일 1장 정도로 작성하며 다른 저널에 한 번도 투고되지 않았다는 점, 저널 선정의 이유, 내 연구의 기여를 잘 버무려 작성하면 됩니다. 커버레터에서 가장 중요한 부분은 바로 해당 저널과 내 논문의 관련성, 그리고 내 논문의 기여로 아래 샘플과 같이 핵심적인 위주로 간단히 작성하면 됩니다.

We are pleased to submit the attached manuscript entitled "논문 제목" for consideration for possible publication in (저널명). We confirmed that this work is original and has not been published elsewhere, nor is it currently under consideration for publication elsewhere.

In this manuscript, we proposed … (연구 결과에 대한 부분)

We think that these findings are relevant to the focus of (저널명) in that they give insights in terms of corporate level innovation issues.

All authors have read and approved the final manuscript and agree with its submission to (저널명). Thank you for your time on this letter and the manuscript. I look forward to hearing from you.

Yours sincerely,
OOO

저널 투고 후 논문 게재 전 마지막 남은 중요한 절차는 바로 리뷰어의 수정 의견에 대한 대응입니다. 보통 2명에서 많게는 4명의 리뷰어로부터 피어리뷰 결과를 받습니다. 피어리뷰 시 리뷰어들이 기본적으로 살펴보는 부분으로는 전체적인 논문의 구조, 연구 필요성, 데이터와 연구방법의 적절성, 연구 문제가 연구결과를 통해 해소가 되는지 등이 있습니다. 이러한 기본적인 부분들이 제대로 되어 있지 않을 경우 리뷰어로부터 수정 의견이 아닌 게재 불가(Reject) 의견을 받을 수 있으므로 기본적인 사항을 잘 체크해야 합니다. 기본적인 부분이 어느 정도 제대로 작성되어 있으면 그 외 리뷰어의 의견은 크게 다음과 같은 내용인 경우가 많습니다.

1. 논문 내 중복적으로 언급되는 내용 제거
2. 문맥에 맞지 않는 내용 수정
3. 연구 문제에 대한 내용이 연구 결과 부분에서 하나씩 다뤄지도록 결과 부분 수정
4. 연구 한계점 및 시사점 보강

피어리뷰가 종료되면 리뷰어의 의견을 토대로 에디터가 피어리뷰 결과에 따른 1차 의사결정을 내리는데 리뷰어의 수정 의견이 논문의 얼마나 핵심적인 부분에 대한 내용인지에 따라 Major Revision 또는 Minor Revision으로 결정됩니다. 에디터의 결정에 따라 수정기간도 연구자에게 다르게 주어지며 Major Revision의 경우 1달에서 길게는 3달, Minor Revision의 경우 3일에서 1주일 정도 주어집니다. 이 부분은 각 저널별로 크게 다르므로 투고하는 저널에서 제시하는

기간에 맞춰 수정된 논문과 답변서를 준비할 수 있도록 해야 하며 에디터와 상의하여 추가적인 수정기간을 부여받을 수도 있습니다.

리뷰어의 수정 의견에 따라 논문을 수정하는 것도 물론 중요하지만 리뷰어에게 전달될 수정 답변서를 작성하는 것도 상당히 중요합니다. 왜냐하면 1차 리뷰과정에서 참여한 리뷰어에게 답변서와 수정된 논문이 2차 리뷰를 위해 다시 전달될 예정이므로 어떻게 수정했고 왜 그렇게 수정했는지 논리적으로 답변서를 작성해 리뷰어가 연구자의 수정 논리를 납득할 수 있도록 해야 추가적인 수정 의견을 받지 않을 수 있기 때문입니다. 피어리뷰에 참여하는 리뷰어가 나의 연구 주제와 관련된 분야를 전공하지 않았을 수도 있으므로 리뷰어의 성향 혹은 전공분야에 따라 연구 내용에 대한 이해도와 이를 보는 관점이 상이할 수 있으며 이런 요인들이 피어리뷰 결과에 영향을 미치게 됩니다. 이 점을 염두에 두고 수정 답변서를 작성하면 리뷰어의 의견 하나하나에 대해 너무 깊은 의미를 부여하지 않고 객관적인 시선으로 논문을 수정하고 수정된 결과에 대해 차분하게 수정 답변서를 작성할 수 있습니다.

커버레터처럼 수정 답변서도 별도 정해진 양식은 없으나 통상 리뷰어의 수정의견과 이에 대한 연구자의 답변 형식으로 정리하여 작성합니다. 리뷰어의 수정 의견을 검토하고 아주 작은 부분이더라도 하나의 수정 의견으로서 연구자가 이를 어떻게 수정했는지 답변을 제시하고 수정 결과를 보여줄 수 있도록 작성하면 됩니다. 수정 답변서 샘플과 같이 리뷰어의 의견에 대해 감사를 표시하는 등 최대한 정중한 어조로 리뷰어의 의견에 대한 연구자의 생각, 그리고 수정 방향과 그 이유를 제시하되 리뷰어가 충분히 연구자의 생각에 공감할 수 있도록 작성하면 좋은 수정 답변서가 됩니다.

Point 1: You should move the research questions up in the manuscript. Also, they should emerge from a theoretical tension/puzzle and not your case study. Reformulate accordingly.

Response 1: Thank you for your comment regarding the location of research questions in Section 1. Based on your comment, we relocated research questions before a brief introduction of research method.

• Revised as below:

In this study, we investigated hyper coopetition of established companies in the semi-conductor industry based on the following research questions:

RQ 1 : How does hyper coopetition differ from traditional coopetition?

RQ 2 : What triggers the formation of hyper coopetition in the high tech industry and how it works?

In this study, we investigated hyper-coopetition between companies in the semiconductor industry and the automotive industry to explore this unique phenomenon. Considering the chipmaker's hyper coopetition is still in progress, we constructed a priori construct of motives for (i.e., antecedents) as well as the courses of coopetition between participating companies (i.e., processes) based on literature review. After establishing a priori construct, we conducted case study on established semiconductor companies with hyper coopetitive relationships with other companies working on autonomous driving technologies.

참고 문헌

Evans, D., Gruba, P., & Zobel, J. (2011). *How to write a better thesis* (3rd ed.). Springer.

저자의 말

그 간 대학원 생활을 하며 졸업 후 연구를 수행하며 대학에 개설되는 연구방법론 혹은 이와 유사한 강의로는 대학원생들이 연구 중 겪는 크고 작은 어려움이 해소되지 않는다고 생각하게 되었습니다. 상당수의 대학원생이 이러한 어려움에 부딪혔을 때 딱딱한 이론 서적, 해당 분야의 전문가인지 알 수 없는 유튜버들의 동영상, 블로거의 포스팅, 혹은 구글 검색 등에 의존해 문제를 해결하고 있습니다.

저는 어떻게 하면 대학원생들이 스스로 자신의 연구를 설계하고 완성하는 데 도움을 줄 수 있을지 고민하던 중, 특히 아직 박사과정 진행 중인 제 남편, 윤창희 학생에게 도움을 주고자 '기술경영 연구자를 위한 논문 작성방법론' 출간을 기획하게 되었습니다. 시판 중인 다양한 논문 작성법에 대한 서적 혹은 연구방법에 대한 서적을 보면 방대한 이론적 내용을 담고 있거나, 혹은 자칭 연구의 지름길이라는 수식어를 내세운 경우를 볼 수 있습니다. 본 책은 화려한 수식어나 많은 내용을 담기보다 저자의 경험을 토대로 실제 연구자들이 어려움을 겪는 부분을 해결하는 데 조금이나마 보탬이 되는 데 초점을 맞춰 작성하였습니다. 또한 저는 한국 교육의 고질적 문제인 스스로 학습하는 방법이 아닌

즉각적인 해결책 제시에서 벗어나 독자들이 이 책을 통해 하나씩 스스로 시도해보며 자신만의 연구 결과물을 완성할 수 있도록 내용을 구성하였습니다.

본 책은 주된 독자를 이제 막 연구를 시작한 새내기 대학원생, 졸업요건을 갖추기 위해 국제저널 투고를 준비하는 대학원생 등으로 설정하여 누구나 연구를 수행하다가 어려움을 겪고 있을 때 한 번쯤 찾아보고 도움을 받을 수 있도록 저자의 그간의 연구 경험을 최대한 녹여 내어 작성하였습니다. 논문 작성 관련 핵심적인 부분을 중심으로 '문박사의 조언'을 통해 대학원 생활 중 Trial and Error 방식으로 저자가 터득한 연구를 효율적으로 수행하기 위한 다양한 팁을 제시하였습니다. 특히 '문박사의 조언'은 그 간 성균관대학교 기술경영전문대학원 내 이희상 교수님 연구실 소모임인 '다작 스터디'를 통해 경험적으로 알게 된 대학원생들이 연구 수행 중 어려워하는 점과 궁금해 하는 부분들을 위주로 내용을 구성하였습니다.

지면을 빌어 2018년부터 사계절 불문 스터디에 참여하며 성실히 졸업을 위해 한 걸음씩 나아가고 있는 '다작 스터디' 구성원들에게 감사의 말을 전합니다. 본 책은 약 1달여 남짓 짧은 기간 동안 초고를 탈고하고 최종 출판까지의 과정이 이뤄져 아직 부족한 점이 많지만, 초보 연구자들에게 참고서로서 유용하게 활용되길 바랍니다.